Cartrefi Cymreig / Welsh Homes

Cartrefi Cymreig

yn seiliedig ar gyfresi S4C 04 Wal a Y Tŷ Cymreig

Welsh Homes

based on the S4C series 04 Wal and Y Tŷ Cymreig

Gwenda Griffith & Greg Stevenson

mewn cydweithrediad â / in association with

Rhan o grŵp Boomerang

S4C

Quinto

Cyhoeddwyd gan / Published by
Quinto Press Limited
60 Kingsland Crescent, Y Barri / Barry, Bro Morgannwg / Vale of Glamorgan CF63 4JR

Cynhyrchwyd 04 Wal a Y Tŷ Cymreig gan Fflic ar gyfer S4C / 04 Wal and Y Tŷ Cymreig produced by Fflic for S4C
Cyhoeddwyd y llyfr dan drwydded gan S4C / Book published under licence from S4C

Mae cofnod CIP ar gyfer y llyfr hwn ar gael o'r Llyfrgell Brydeinig.
A CIP record for this book is available from the British Library.

Cyhoeddwyd gyntaf / First published 2006

ISBN-10 1-905960-00-X
ISBN-13 978-1-905960-00-2

Dyluniwyd gan / Designed by
Ian Findlay

Argraffwyd gan / Printed by
Gomer Press Limited
Llandysul, Ceredigion SA44 4JL

CHWITH / LEFT

Neuadd Cynhinfa,
Dolanog

Cyflwyniad / Introduction

Aled Samuel, cyflwynydd 04 Wal *a'r* Tŷ Cymreig.

Aled Samuel, presenter of 04 Wal *and* Y Tŷ Cymreig.

Ewch i unrhyw siop lyfrau sydd ag adran cynllunio cartref, ac rydych chi'n siŵr o weld llyfrau am gartrefi Gwyddelig (gwledig a Sioraidd), aelwydydd yr Alban a rhai niferus am fythynnod a phlastai Lloegr. Mae'n syndod cyn lleied o gyfeiriadau sydd at arddull 'Brydeinig' mewn tai, ac yn sicr, mae un darn o'r jig-so ar goll gan mai prin iawn yw'r cyfeiriadau at dai Cymru.

Pam felly? A yw tai Cymru'n llai diddorol na bythynnod Iwerddon neu bensaernïaeth Sioraidd Lloegr? Oes yna ddiffyg elfennau unigryw'n perthyn i gartrefi Cymru o gymharu â thai'r gwledydd eraill? Neu a yw tai Cymru'n methu â chyrraedd y safon o ran cynllunio cartrefi?

A browse along the shelves in any bookshop with an interior design section is likely to bring to light books on Irish interiors (both rural and Georgian), books on Scottish homes, and books on English cottages and grand country houses. Oddly, there are few references to the 'British' interior style, and there has definitely been a piece missing from the jigsaw as Welsh homes have been woefully under-represented.

Is it that Welsh homes aren't as interesting as the cottages of Ireland or the Georgian architecture of England? Is it that there isn't anything distinctive about Welsh homes that makes them stand out from the houses in neighbouring countries? Or is it that the homes of Wales simply aren't up to scratch when it comes to interior design?

Y criw ffilmio yn Nhreleddyd Fawr, Sir Benfro.

The crew filming at Treleddyd Fawr, Pembrokeshire.

Ein gobaith yw y bydd y llyfr hwn yn chwalu'r dair dybiaeth hon yn llwyr. Mae gennym dreftadaeth bensaernïol unigryw a chyfoethog yng Nghymru sy'n parhau hyd heddiw. Mae gennym gartrefi sydd gyda'r gorau yn y byd ac enghreifftiau di-ri o gynllunio celfydd a chywrain.

Nod *Cartrefi Cymreig / Welsh Homes* – y llyfr bwrdd coffi dwyieithog cyntaf erioed am gartrefi Cymru – yw rhoi Cymru ar fap cynllunio cartrefi'r byd.

Yn sgil ein gwaith ar raglenni pensaernïaeth a chynllun cartrefi i S4C, roedd y ddau ohonom yn gwybod nad oedd prinder cartrefi gwych yma yng Nghymru, a dim pall ar ddiddordeb pobl ynddynt. Roeddem am greu cofnod parhaol o amrywiaeth eang o dai rhwng dau glawr sydd yn ein tyb ni yn mynegi rhywbeth diddorol am Gymru a'i phobl.

Mae un peth yn bendant: rydyn ni'r Cymry'n caru ein cartrefi. Mae'r cyfresi teledu a ysbrydolodd y llyfr hwn (*04 Wal* a'r *Tŷ Cymreig*) yn denu miloedd o wylwyr Cymraeg a di-Gymraeg yn gyson. Fel pawb arall, mae'r ysfa naturiol ynom ni'r Cymry i gael cipolwg ar bobl eraill a'u ffordd o fyw. Efallai bod rhyw elfen fusneslyd o fod eisiau edrych drwy dwll bach y clo, ond yng Nghymru, mae dod i adnabod y *bobl* eu hunain, a'u hanes yr un mor bwysig â phethau fel deunydd pa ddylunydd sydd yno neu pa fasn ymolchi ddewison nhw.

We hope that this book proves beyond doubt that all three of those assumptions are wrong. Wales has a rich and unique architectural heritage that continues to this day with some world-class homes and a plethora of ingenious interior schemes.

Cartrefi Cymreig / Welsh Homes – the first bilingual coffee-table book on Welsh homes – puts Wales on the world map of design.

Both of us knew from our work on architecture and interiors programming for S4C (the Welsh-language television channel) that there was no shortage of amazing homes in Wales, or of interest in them. The idea for this book was born from a desire to make a permanent record of a broad spectrum of homes that we felt said something interesting about Wales and the Welsh.

One thing is for sure: the Welsh love their homes. The television series that inspired this book (*04 Wal* and *Y Tŷ Cymreig*) have consistently attracted high viewing figures and an audience that includes both Welsh speakers and non-Welsh speakers. Like everyone else, the Welsh have a natural curiosity about other people and how they live. There is probably an element of nosiness about the desire to see inside other people's houses, but in Wales the issue is as much about getting to know the *people* and their story as it is about which designer fabric or handbasin they've chosen in their refurbishment.

Er mai cyfresi hel tai yw *04 Wal* (golwg ar y tu mewn i dai) a'r *Tŷ Cymreig* (pensaernïaeth cartrefi Cymru) mae'r trigolion sy'n rhoi bywyd i'r tai hynny yr un mor bwysig. Gofynnwch i unrhyw wyliwr, neu un o'r criw cynhyrchu o ran hynny, pa dŷ wnaeth fwyaf o argraff arnynt, ac maen nhw'n siŵr o gyfeirio at y cymeriadau sy'n byw yn y cartrefi lawn cymaint â'r adeiladau eu hunain. Yn anad dim, 'pobl' yw pennaf ddiddordeb pobl Cymru.

Mae *Cartrefi Cymreig / Welsh Homes* yn cynnwys pob math o dai ym mhob cwr o'r wlad. Mac yma gorneli cyfyng ac ystafelloedd mawr ysblennydd, tai â stamp cwbl Gymreig a rhai sy'n dilyn tueddiadau pensaernïaeth ryngwladol.

Mae yma fythynnod gwerinol na fu'r un cynllunydd cartref ar eu cyfyl, a rhandai trawiadol sy'n tystio i ddoniau'r dylunwyr.

Mae'r rhan fwyaf o'r tai yn y llyfr wedi ymddangos yn *04 Wal*, cyfres hynod boblogaidd ar S4C ers 1999. Mae'r camera'n dilyn y cyflwynydd Aled Samuel wrth iddo grwydro o stafell i stafell, gan roi sylwadau a hel straeon y perchnogion am hanes y tŷ. Hyd yma, mae'r gyfres wedi cyflwyno dros 300 o dai amrywiol a diddorol – o Fôn i Fynwy, yn ogystal â chartrefi Cymry oddi cartre' yn Ffrainc, Sbaen, Hong Kong, Sydney a Delhi Newydd.

UCHOD / ABOVE

Y dyn camera Stephen Kingston yn ffilmio yn Neuadd Cynhinfa, Dolanog.

Cameraman Stephen Kingston filming at Neuadd Cynhinfa, Dolanog.

Both *04 Wal* (showcasing interiors) and *Y Tŷ Cymreig* (Welsh domestic architecture) are ostensibly about houses, but it is the people that bring them to life. Ask a viewer, or even a member of the film crew, which properties they loved the most, and the chances are that you will get a response that mentions the characters that lived in the properties, as much as the houses themselves. If anything, the Welsh are 'people' people.

Cartrefi Cymreig / Welsh Homes contains all manner of homes from all over Wales. There are tiny spaces and palatial rooms, houses that are intrinsically Welsh in their architecture, and those whose architecture looks to the international stage.

We've included everything from unselfconscious cottages that have never had an interior designer cross their threshold to the showpiece apartments that designers have put together as their calling cards.

The majority of houses featured in this book have been seen on *04 Wal*, a series launched in 1999 and that proved so popular that it has been running every year since. Presenter Aled Samuel takes the camera on a tour of the property, makes observations, and usually interviews the owner about the story behind the property. Wales has provided rich pickings, and over 300 homes have been featured to date, including the homes of the Welsh in France and Spain as well as in Hong Kong, Sydney, and New Delhi.

Y dyn sain Steve Jones, cyfarwyddwr Rhodri Glyn Davies, Greg Stevenson, ac Aled Samuel yn Nhroedrhiwfallen, Cribyn.

Soundman Steve Jones, director Rhodri Glyn Davies, Greg Stevenson, and Aled Samuel at Troedrhiwfallen, Cribyn.

Greg Stevenson, Aled Samuel, a Minti'r ci yn Nhŷ'n y Gerddi, Llanfair Caereinion.

Greg Stevenson, Aled Samuel, and Minti at Tŷ'n y Gerddi, Llanfair Caereinion.

Cartrefi sy'n adrodd hanes ein pensaernïaeth frodorol sy'n cael sylw'r chwaer-gyfres, *Y Tŷ Cymreig*. Er bod yn eu plith enghreifftiau gwych o waith cynllunio tu mewn (fel y gwelir yma), y peth pwysicaf yw'r hyn sydd gan yr adeiladau i'w ddweud wrthym am hanes tai'r genedl. Mae'r rhaglenni'n canolbwyntio ar themâu gwahanol (y tŷ hir, neuadd-dy canoloesol, y cartref Fictoraidd ac ati) ac rydyn ni'n dewis y pedair enghraifft orau, yn ein barn ni, i'w dangos ar y rhaglen. Bydd y gyfres nesaf yn cynnwys rhaglen neu ddwy ar bensaernïaeth arbennig y Wladfa yn Yr Ariannin.

Yn ffodus i ni, ac i'r llyfr, bob tro y dewch ar draws tŷ gwych, byddwch yn debygol o gyfarfod cymeriad gwych hefyd. Mae'r ystrydeb bod tai pobl yn adlewyrchu eu cymeriadau yn berffaith wir yn yr achos yma, fel y gwelwch chi rhwng y cloriau hyn.

Diolch o galon i bawb a groesawodd ein camerâu ni ar yr aelwyd, ac sydd wedi rhannu eu *'cartref Cymreig'* gyda'r byd. Ein teyrnged ni iddyn nhw yw'r llyfr hwn.

In the sister series, *Y Tŷ Cymreig*, the emphasis is on the homes that tell the story of Welsh domestic architecture. This doesn't mean that it doesn't include some great interiors (as included here), but what matters most is that a building says something about the history of Welsh housing. Programmes are themed around a building type (the 'longhouse', the 'medieval hall house', 'the Victorian home', etc) and we select what we think are four of the best examples to showcase in the programme. The forthcoming series even includes a couple of programmes on the architecture of Patagonia, the Welsh colony in Argentina.

The fortunate thing for us, and for this book, is that whenever you find a great house, you can almost guarantee that there is a great character behind it. The truism that people's personalities are reflected in their homes is as real here as it is anywhere, and it is something that you can see clearly in these pages.

This book is our tribute to the people who have opened their homes to our cameras and have shared their *'cartref Cymreig'* with the world.

Gwenda Griffith a/and Greg Stevenson

Aberdeunant, Taliaris, Llandeilo

Huw a/and Bethan Williams

Mae troi i'r lôn i Aberdeunant fel camu'n ôl i'r oes o'r blaen. Gyda'i do gwellt, ei furiau calch melyn a'i ffenestri codi traddodiadol â fframiau lliw brown fel taffi, mae'n enghraifft berffaith o un o dai brodorol Sir Gâr. Yr Ymddiriedolaeth Genedlaethol sydd biau'r fferm hynod hon sy'n cael ei gosod i denantiaid, Huw a Bethan Williams. Yma, maen nhw'n llwyddo i gydbwyso dulliau ffermio modern a chadwraeth, ar y tir ac ar eu haelwyd unigryw.

Turning down the lane to Aberdeunant you could be forgiven for thinking that you had stepped back in time a couple of centuries. This classic example of the Carmarthenshire vernacular retains its thatched roof, ochre limewashed walls, and traditional sash windows with toffee-brown painted frames. Still a working farm, the building is owned by the National Trust and let to tenant farmers Huw and Bethan Williams. Here they balance the interests of modern agriculture with conservation, both on the land and in preserving their remarkable home.

Er nad yw'r arbenigwyr yn gallu cytuno'n bendant ar union wreiddiau'r hen gartref, mae olion y ddeunawfed ganrif yn amlwg ar yr adeilad presennol – ond mae'n debyg iddo gael ei godi ganrif neu ddwy'n gynharach. Mae dwy ystafell yn union fel yr oeddynt yn wreiddiol: y gegin fawr ar y llawr isaf, a'r ystafell wely wych o wladaidd uwchben. Bu i'r gwaith adfer hynod o drylwyr gynnwys tynnu hen bapur wal Woolworths o'r 1950au, a'i olchi a'i ail-osod yn ofalus ar y waliau. Prynodd yr Ymddiriedolaeth Genedlaethol hen gelfi gwreiddiol y fferm gan y cyn-ffermwr Gwilym Thomas. Roedd ei deulu wedi byw yn Aberdeunant ers 1852.

Experts disagree about the origins of this ancient building, but it is clearly eighteenth century in its current form, and probably dates back a further century or more before that. Two rooms have been kept completely original: the 'cegin fawr' on the ground floor, and a wonderfully rustic bedroom above. Painstaking restoration included removing and washing the 1950s Woolworths wallpaper and reapplying it carefully to the walls. The original antique furnishings were purchased with the farm by the National Trust from former farmer Gwilym Thomas whose family had lived at Aberdeunant since 1852.

Gwely Fictoraidd dan y nenffyrch hynafol a phlastr y to gwellt.

A Victorian bedstead sits under the ancient crucks and plastered underthatch.

Mae'r seld gornel yn enghraifft prin o ddodrefnyn oedd yn gyffredin iawn yn y gorllewin ar un adeg. Mae'r gadair a'r cloc hir o Langadog yn rhoi naws ffurfiol i'r ystafell.

The corner dresser is a rare survivor of a form once common in West Wales. The upholstered chair and longcase clock made in Llangadog give the room an air of formality.

Mae fframwaith anhygoel y to yn llenwi'r llofft fawr.

The 'lloft fawr' (or 'great bedroom') is dominated by its amazing roof structure.

Cadair ffyn Sir Gâr ger y gist Sioraidd. Mwy na thebyg i'r gadair gael ei gwneud o bren onnen a llwyfen y fferm, tra byddai'r celfi mwy fel y gist wedi'u comisiynu gan grefftwyr lleol.

A Carmarthenshire stick chair sits by the Georgian chest-on-chest. It is likely that the chair would have been made on the farm from ash and elm, whereas larger pieces like the chest would have been commissioned from local cabinet-makers.

Felly, mae teulu'r Williams yn ffodus o fyw mewn amgueddfa o gartref o ddydd i ddydd ar yr amod eu bod yn ei rannu gyda'r cyhoedd (trwy drefniant) ddwywaith y mis yn ystod yr haf.

"Er ei fod yn adeilad hanesyddol, cartref teuluol yw e'n fwy na dim," meddai Huw, "ond y gymuned leol sy'n ei wneud yn lle mor arbennig i fyw ynddo."

The Williams family get to use these museum spaces on a daily basis in exchange for sharing their home with the public (by appointment) a couple of times a month in the summer.

"Although it is an historic building, this is a family home more than anything," says Huw, "but it is the community here that makes it such a special place to live."

DDE / RIGHT

Mae'r grisiau cerrig i'r llawr uchaf yn ymwthio o'r wal yng nghefn y ffermdy. Roedd y calch pinc yn lliw cyffredin yn y rhan fwyaf o Gymru ers talwm.

The stone staircase to the upper floor sits in an outshot projecting from the rear wall of the farmhouse. The pink limewash was once a common colour in most areas of Wales.

Ffenestri Sioraidd gyda phaent brown lliw taffi a gwyn.

The Georgian-pattern sash windows have been painted toffee-brown and white.

Bailea, Llanddeusant

Stifyn Parri

Mae Sir Gâr a'i phorfeydd gleision yn frith o adeiladau fferm traddodiadol, cadarn. Gan amlaf, mae clwstwr o adeiladau o gwmpas y buarth neu'n union gyferbyn â'r ffermdy. Ond gyda dulliau ffermio modern heddiw'n ffafrio'r siediau mawr diwydiannol, mae'r hen stablau a'r beudai, y sguboriau a'r ydlofftydd bellach yn segur.

The rich pasturelands of Carmarthenshire have left the area with a wonderful heritage of well-constructed agricultural holdings. Typically, a cluster of farm buildings will be set opposite or in a courtyard arrangement within spitting distance of the farmhouse. Modern farming has moved into huge industrial sheds, and left the former stables, cowsheds, barns, and granaries with no present-day agricultural use.

UCHOD / ABOVE

Mae coridor gwydr yn pontio dau o'r hen adeiladau fferm. Gwrthododd Awdurdod Parc Cenedlaethol Bannau Brycheiniog y cais gwreiddiol i adeiladu'r coridor gyda cherrig lleol. Mae pawb yn fodlon gyda'r syniad newydd hwn, sy'n cysylltu'r ddau adeilad ac eto'n eu cadw ar wahân fel dau le unigryw a adeiladwyd at ddibenion gwahanol.

A discreet glass corridor has connected two of the former farm buildings. The Brecon Beacons National Park Authority rejected the first application to build the corridor using local stone. Everyone is happy with the final outcome as the two structures are now connected but retain a sense of having been built with separate purposes.

CHWITH / LEFT

Herc, cam a naid o'r gwely i'r baddon cyfagos.

The bath is open to the bedroom and is just a hop and a skip from the bed.

Aeth Stifyn Parri ati i addasu'r adeiladau hyn yn gartref cyfoes yng nghyffiniau'r Mynydd Du yn 2004. Mae ehangder yr adeiladau yn gweddu i'r dim ar gyfer creu ystafelloedd agored sy'n edrych allan ar y dirwedd ddramatig heb lenni i amharu ar yr olygfa. Fel cartref sylfaenydd mudiad cymdeithasol SWS, mae Bailea yn ddelfrydol ar gyfer cynnal y parti perffaith.

"Dyma fy nefoedd ar y ddaear," meddai Stifyn, "a'r unig ddarn o nefoedd dwi'n debygol o'i weld!"

Stifyn Parri converted a collection of such buildings into a contemporary home in the Black Mountains in 2004. The large open spaces of the original buildings have lent themselves well to open-plan living, and the absence of curtains carry the eye out to the dramatic landscape beyond. As the home of the founding member of the SWS (Social, Welsh, and Sexy) social group, it is fitting that Bailea is the perfect place to hold a great party.

"It is my heaven on earth," Stifyn says, "and probably the only heaven I'll ever get to see!"

CHWITH / LEFT

Tusw o gennin pedr ar y bwrdd o flaen y candelabra mawr a brynwyd yng Nghaerdydd, sy'n adlewyrchu cymeriad lliwgar y perchennog, Stifyn Parri.

Daffodils stand on the table in front of the over-sized candelabra bought in Cardiff, which reflects the larger-than-life character of its owner, Stifyn Parri.

DDE / RIGHT

Atgynhyrchiad o radio Bush o'r 1950au ger portread gwifren o Stifyn Parri, anrheg gan ei ffrindiau i ddathlu ei ben-blwydd yn ddeugain oed.

A repro 1950s Bush radio sits next to a wire portrait of Stifyn Parri that was a gift from friends on his fortieth birthday.

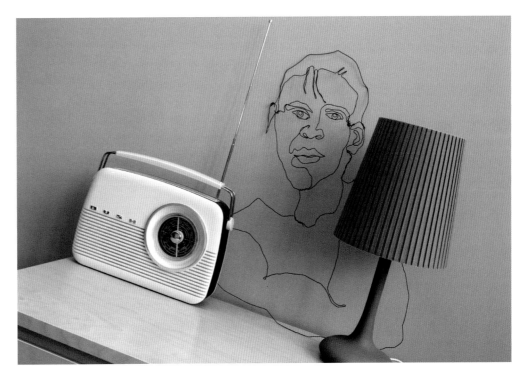

DDE / RIGHT

Lolfa a chegin agored, gyda drysau dwbl yn arwain i'r patio.

The lounge is open-plan to the kitchen, and double doors open to the patio.

UCHOD / ABOVE

Baddon traddodiadol dan gysgod canhwyllbren a channwyll chwe troedfedd o uchder.

A classic roll-top bath is overshadowed by a huge silvered candlestick that stands 6 feet tall including its candle.

Stifyn Parri

Mae cadair fechan yn newid persbectif y sil ffenestr.

A miniature chair alters the perspective of a window sill.

Bryn Eglur, Trelech a'r Betws

Dorian Bowen

Adeiladwyd ym 1755 fel tyddyn ag iddo 'ddwy stafell lan a dwy stafell lawr'. Roedd Bryn Eglur wedi bod yn adfail gwag ers deugain mlynedd tan i dyn lleol Dorian Bowen ei brynu yn 2004. Roedd yn gyfle delfrydol i Dorian wireddu ei weledigaeth o greu'r bwthyn Cymreig perffaith, a bu wrthi'n ddiwyd yn adfer y nodweddion gwreiddiol ac yn chwilota am hen ddodrefn gwledig lleol i greu cyfanwaith.

Built in 1755 as a simple 'two up, two down' smallholding, Bryn Eglur had stood empty and derelict for forty years when it was bought by local man Dorian Bowen in 2004. For Dorian, this rustic home provided an ideal opportunity to create his vision of the perfect Welsh cottage, and he has worked hard in restoring original features and in sourcing local country antiques to complete the picture.

GYFERBYN / OPPOSITE

Y simnai fawr yw calon y bwthyn. Mae cig moch yn crogi o un o'r bachau yn y nenfwd, a gwaith lleol yw'r dodrefn i gyd. Dorian ei hunan wnaeth y gadair ffyn (chwith).

The 'simne fawr' inglenook is the heart of this cottage home. A ham hangs curing on one of the many hooks in the ceiling, and all the furnishings are local examples. Dorian made the stick chair (left) himself.

UCHOD / ABOVE

Mae cymesuredd atyniadol yn perthyn i Fryn Eglur. Mae'r to llechi yn dyddio o ddiwedd y bedwaredd ganrif ar bymtheg, ond ym 1755 pan adeiladwyd y tyddyn, mae'n debygol mai to gwellt fyddai ganddo.

Bryn Eglur has a pleasing symmetry. The slate roof is late nineteenth century, and would probably have been thatched when the smallholding was built back in 1755.

Mae rhyw deimlad ffurfiol i'r parlwr, gyda'r cloc hir gan wneuthurwr lleol. Fel yn y rhan fwyaf o'r tŷ, lampau olew a chanhwyllau sy'n goleuo'r ystafell hon.

The parlour retains a sense of formality, and is home to the locally made long-case clock; like most of the house this room is lit by oil lamps and candles.

Mae'r bwthyn yn atgof o fywyd syml y tyddynwyr fu'n byw yma 'slawer dydd. Er bod cegin bellach lle bu'r beudy, ac ystafell ymolchi yn y llaethdy, mae'r bwthyn wedi ei adfer yn ystyriol a gofalus gyda phob manylyn yn cael sylw dyledus – peth prin mewn prosiectau adnewyddu.

The result is a cottage home that reminds you of the simple rustic life of its original farmer occupants. Although a kitchen has been fitted in what was the cowshed, and a discrete modern bathroom now sits among the slate dairy slabs, the cottage has been restored with a sensitivity and attention to detail that is rarely seen in renovation projects.

Symlrwydd ydy'r nod ym Mryn Eglur. Paent gwreiddiol oes Fictoria sydd ar y waliau pren. Mae jwg a phowlen ymolchi enamel yn barod i'w defnyddio ben bore.

Simplicity is the order of the day at Bryn Eglur. Distressed painted boards have been left in their Victorian paint surfaces. An enamel jug and wash bowl sit ready for the morning wash.

Gan fod y gegin gyfoes yn y beudy, nid oes cyfleusterau cyfoes yn amharu ar galon hanesyddol y tŷ. Defnyddiwyd y sinc lechen draddodiadol ers talwm i halltu; heddiw fe'i defnyddir i baratoi llysiau.

An up-to-date kitchen in the former cowshed means that modern conveniences have been kept out of the historic core of the house. A traditional slate salting sink is used for preparing vegetables.

25

Mae'r ail lofft yn arwain o'r gyntaf ac yn gartref i wely bocs traddodiadol. Cofnododd y saer gwreiddiol nodiadau mewn pensil yn Gymraeg i roi cymorth wrth adeiladu'r gwely (talcen, cefn, ac yn y blaen). Mae'r rhain wedi goroesi hyd heddiw.

The second bedroom leads off from the first and is home to a traditional box bed. The original carpenter had pencilled notes in Welsh to aid construction ('talcen', 'cefn', etc) on the boards, and these survive to this day.

Mae ystafell ymolchi fechan wedi ei chreu rhwng y llechi glas lle bu gwraig y tyddynwr gynt yn gweithio menyn a chaws â llaw.

A small modern bathroom has been fitted among the slate slabs of the former dairy where butter and cheese used to be made by hand.

Mae'r paent ar y waliau pren wedi'i adael yn union fel yr oedd a hen lampau olew a chanhwyllau sy'n goleuo'r tyddyn. Mae cig mochyn unwaith eto'n hongian yn y simnai fawr, yn halltu ym mwg y coed derw. Fu erioed deledu, deleffon na dŵr ym Mryn Eglur, a phrin y bydd yna fyth. Peidiwch â disgwyl soffa, 'duvet' na chawod gyfoes, ond yn hytrach cewch gadeiriau pren Cymreig, carthenni Cymreig cain mewn gwely bocs traddodiadol, a baddon hen ffasiwn. Dyma fywyd gwledig ar ei buraf, sy'n gwarantu tawelwch hudol heb ddim ond sŵn y barcud a'r boda uwchben i darfu ar y llonyddwch.

Time-worn boards have been left in their distressed paint finish, lighting is largely provided by old oil lamps and candles, and hams hang once again in the 'simne fawr' inglenook, curing in the oak wood smoke. Bryn Eglur has never had a television, a telephone, or even mains water, and it probably never will. Don't expect to see a sofa, a duvet or a modern shower, and you will be rewarded instead with rustic Welsh stick chairs, beautifully crafted Welsh quilts in a traditional box bed, and a classic roll-top bath. This is country living at its most authentic, providing a quiet magical atmosphere that is only disturbed by the sound of the red kites and buzzards that fly overhead.

DDE / RIGHT

Er mai cartref dirodres yw Bryn Eglur, mae'n amlwg fod gan y perchnogion gwreiddiol ddyheadau uchelgeisiol gan fod y ffenestri "Sioraidd" yn adlewyrchu chwaeth drefol y cyfnod.

Although a humble home in many ways, Bryn Eglur also had aspirations of grandeur. These 'Georgian' pattern windows reflect urban tastes of the time.

DDE / RIGHT

Dorian Bowen

Cae Canol Mawr, Cwm Teigl, Blaenau Ffestiniog

Richard ac/and Ann Hughes

Ychydig iawn o dai sydd mor Gymreig â Chae Canol Mawr. Saif y cartref arbennig hwn fel nyth yr eryr yn y mynyddoedd uwchben Blaenau Ffestiniog, a dim ond ar droed y gellir cyrraedd yma. Llwyddwyd i osgoi chwiw ffasiynau gwahanol gyfnodau diolch i'w lecyn anghysbell yng nghanol Eryri, a'r hyn a geir hyd heddiw yw adeilad sy'n edrych fwy neu lai fel yr oedd dair neu bedair canrif yn ôl.

Few houses look, or feel, more Welsh than Cae Canol Mawr. Perched up in the mountains above Blaenau Ffestiniog, this 'eagle's nest' of a house can only be reached on foot. Its remote location in Snowdonia has largely saved it from the fickle tides of fashion, and the visitor today sees a building that looks much as it would have done three or four centuries ago.

CHWITH / LEFT

Cae Canol Uchaf ar ei orau dan awyr fygythiol y gaeaf.

Cae Canol Uchaf looks best in the threatening skies of winter.

UCHOD / ABOVE

Richard Hughes yn ymlacio o flaen y stof Norwyaidd sy'n swatio yn yr hen simne fawr.

Richard Hughes relaxes in front of a Norwegian stove that sits in the ancient 'simne fawr' inglenook.

Yn rhyfeddol, rhodd hael i Richard ac Ann Hughes gan y perchennog blaenorol am ofalu amdano oedd y cartref nodedig hwn. Maen nhw wedi cadw'r tu mewn yn gwbl syml, fel bod fframwaith derw gwreiddiol y to a'r hen simne fawr yn hoelio'r sylw'n syth. Mae angen clamp o le tân fel hwn arnoch chi, yn unigedd yr uchelfannau.

Amazingly, this wonderful home was a generous gift to Richard and Ann Hughes who had looked after the building for its former owner. They have left the interior suitably simple, leaving the eye to marvel at the original oak roof structure and the massive 'simne fawr' inglenook that dominates the home. This high up, and in such a remote location, you need a fireplace as large as this.

GYDA'R CLOC / CLOCKWISE

Mae'n debyg bod fframwaith derw gwreiddiol y to'n perthyn i ddiwedd yr unfed ganrif ar bymtheg.

The original oak roof structure probably dates to the late sixteenth century.

Mae Richard Hughes, sy'n awdur, wedi llenwi'r lle o dan y groglofft â llyfrau di-ri.

Richard Hughes is a writer, and has filled the area under the 'croglofft' with books.

Gwely sengl yn y groglofft, sy'n edrych dros y gegin fawr.

A single bed sits on the 'croglofft' overlooking the 'cegin fawr'.

UCHOD / ABOVE

Ann Hughes baentiodd gaeadau'r ffenestri.

Ann Hughes painted the shutters at the casement windows.

CHWITH / LEFT

Grisiau llechi modern yn arwain i'r groglofft. Mae'n debyg i dwll y ffenestr uwchben gael ei gau oherwydd y dreth ar ffenestri yn y ddeunawfed ganrif.

Modern cantilevered slate stairs go up to the 'croglofft'. The window above was believed to have been blocked because of window taxes in the eighteenth century.

Daw dŵr y tŷ o ffynnon ar y tir.

Water is provided by a spring on the land.

Mae popeth yma sydd ei angen i fyw'r bywyd tawel, a dim mwy; mae Cae Canol Mawr yn hafan glyd o'r byd mawr. Dyma'r lle delfrydol i fwynhau'r hen ffordd Gymreig o fyw a byw'r bywyd gwledig, syml, i'r eithaf.

There is everything here that you need to enjoy a quiet life, but nothing more; you can escape the world up at Cae Canol Mawr. It doesn't take much imagination to transport yourself back to 'yr hen ffordd Gymreig o fyw', (the old Welsh way of life) or to live out the fantasy of a rustic rural existence.

Cae Canol Mawr yn swatio yng nghanol y llethrau llechi a'r mynyddoedd.

Slate scree slopes dwarf Cae Canol Mawr in its mountain setting.

Calderbrook Lodge, Ceredigion

Dr Paul Key a/and Margot Lucas

Er nad adeilad Cymreig mo Calderbrook Lodge, mae'n haeddu'r teitl 'dinesydd' anrhydeddus ar ôl bod yma am ganrif a mwy.

Os yw'r cartref hyfryd hwn yn eich atgoffa chi o gaban hela o Sgandinafia, rydych chi'n llygad eich lle – oherwydd iddo gael ei fewnforio yma fel tŷ parod tua 1900 a'i osod ar dir plasdy gwledig oedd yn mynd â'i ben iddo. Penderfynodd y perchnogion bonedd adael Gwernant, eu plasdy drudfawr, a symud i fyw i'r caban hela bychan, ond chwaethus hwn yn ei le.

Calderbrook Lodge isn't a Welsh building at all, but after being here for over a century it deserves honorary 'citizenship'.

The reason that this beautiful home reminds the viewer of a Scandinavian hunting lodge is because that is exactly what it is – imported as a prefab and erected in the grounds of a decaying country manor some time around 1900. When the gentry owners decided to abandon Gwernant, their expensive mansion house, they chose this humble lodge as a stylish alternative from their palatial former home.

GYFERBYN / OPPOSITE

Hen gadair wiail yw'r lle perffaith i eistedd yn ôl a mwynhau heulwen olaf hirddydd haf.

An old cane chair is the perfect place to enjoy the last rays of sun on a summer's day.

UCHOD / ABOVE

Margot Lucas a/and Paul Key

Mae'n dŷ swynol, gyda'i rwyllwaith siâp calonnau, clamp o ddrysau 'Gustavaidd' a dodrefn cyfforddus a gwledig, a'r un mor atyniadol â hongliad o le mawr Fictoraidd.

Ar ôl blynyddoedd o lafur caled, mae'r perchnogion Paul Key a Margot Lucas wedi llwyddo i adfer y caban hela hudolus hwn a chael gwared ar yr hen gragen goncrid hyll oedd yn gorchuddio'r muriau gwreiddiol.

With heart-shapes cut into the decorative fretwork, huge 'Gustavian' styled doors and a relaxed 'country' style furnishing, the house is utterly charming, and easily as pleasing as any rambling Victorian pile.

The charm of today is in fact the result of years of hard work by owners Paul Key and Margot Lucas who have rescued the lodge from inside an ugly concrete-block shell that had encased the original walls.

Mae'r thema sêr i'w gweld ym mhob cwr o'r adeilad.

The star motifs are carried around the whole building.

Waliau pîn hynafol sydd yn y llofft, fel yng ngweddill yr ystafelloedd – gyda'r gair 'SWEDEN' wedi'i stampio ar ambell banel.

The bedroom, like the rest of the rooms, has walls clad in antique pine – some of the panels are even stamped 'SWEDEN'.

Cypyrddau unigol a seld o'r 1930au yn y gegin.

The kitchen enjoys free-standing cupboards and a dresser from the 1930s.

Chiffonier o eiddo teulu Margot Lucas sydd wedi bod yn Awstralia ac yn ôl.

The main sitting room has a chiffonier from Margot Lucas's family that has travelled to Australia and back.

Ceir sawl potel o win bob blwyddyn o'r winwydden yn yr ystafell haul.

The productive vine in the sun-room produces a few bottles of wine a year.

Codwyd estyniad Edwardaidd i gyd-fynd â'r caban hela gwreiddiol er mwyn creu ystafell wely i'r forwyn.

An extension was added in the Edwardian period to match the original lodge. providing room for a maid's bedroom upstairs.

Calderbrook Lodge – caban hela a fewnforiwyd o Sgandinafia tua 1900.

Calderbrook Lodge – a Scandinavian hunting lodge imported around 1900.

Erbyn hyn, mae'r tŷ wedi'i baentio mewn lliwiau traddodiadol a'r hen stofiau o Sweden wedi'u hadfer, gan ennill Gradd II gan Cadw fel adeilad o ddiddordeb pensaernïol eithriadol. Mae'r holl ddodrefn wedi teithio hyd yn oed ymhellach na'r tŷ, gan fod y rhan fwyaf ohonyn nhw'n perthyn i deulu Margot, a ymfudodd i Awstralia tua diwedd y 1800au, ond sydd bellach wedi dychwelyd adref ganrif yn ddiweddarach.

Now repainted in traditional colours, and with its Swedish stoves restored, the building has been Grade II listed by Cadw for its outstanding architectural interest. The furnishings have travelled even further than the house, as most are heirlooms from Margot's family who emigrated to Australia in the late 1800s, and which have found their way home again a century later.

DDE / RIGHT

Mae'r caban hela'n fôr o liwiau traddodiadol Sweden, gyda phatrymau sêr a chalonnau wedi'u naddu yn y paneli.

The lodge is painted in original Swedish colours, with star and heart-shape motifs cut into the panels.

Treganna / Canton, Caerdydd / Cardiff   *Griff Rowland*

Mae Caerdydd yn frith o dai teras Fictoraidd ac Edwardaidd sy'n debyg iawn i'w gilydd y tu mewn a'r tu allan. Ychydig o amrywiaeth sydd ynddynt, a'r rhan fwyaf yn fersiynau symlach o gynlluniau addurno coeth gwreiddiol Oes Fictoria.

Cardiff is a city full of Victorian and Edwardian terraced houses that follow the same pattern inside and out. They vary little, and most are furnished in watered-down versions of the original decorative schemes imposed by the Victorian fixtures and fittings.

CHWITH / LEFT

Lle perffaith i hen sbectol ar sgrîn wedi'i phaentio.

A pair of old glasses rest on a rustic screen.

BRIG / TOP

Griff Rowland. Mae'r poster yn hysbysebu un o ffilmiau ei arwr, y cyfarwyddwr Pedro Almodovar.

Griff Rowland. The poster advertises a film by his hero, director Pedro Almodovar.

UCHOD / ABOVE

Cynllun cyfoes rhif y tŷ yw'r unig awgrym y tu allan o gynllun dewr y tu mewn.

The contemporary design of the house number is the only exterior clue to the brave interior.

Er hynny, mae Griff Rowland wedi torri ei gŵys ei hun wrth addurno'r tŷ teras pedair llofft sy'n dyddio o 1909. Gyda'i ffenestri carreg, mae'n debyg i unrhyw dŷ traddodiadol arall o'i fath y tu allan – ond mae'r tu mewn yn adlewyrchu cymeriad lliwgar y perchennog sy'n gweithio fel cyfarwyddwr teledu.

Griff Rowland has broken the mould in his refurbishment of this typical four-bedroomed terraced house built in 1909. The exterior remains original with its stone bay windows, but enter the front door and you enter a personal space that reflects the colourful character of its owner who works as a television director.

GYDA'R CLOC / CLOCKWISE

Cymysgedd ddewr o liw a gwead yn y gegin. Mae'r llawr teils du a gwyn newydd sbon yn cyd-fynd â'r rhaid Edwardaidd gwreiddiol yn y cyntedd. Daw'r cadeiriau modernaidd o ddyddiau Ysgol Sul Griff Rowland yng Nghapel Twrgwyn, Bangor, ond Griff sy'n gyfrifol am y paent coch.

The kitchen is a brave mixture of colours and textures. The new black and white floor tiles tie in with the Edwardian originals in the hallway. The modernist chairs came from Griff Rowland's old Sunday School at Capel Twrgwyn in Bangor, though he painted them red.

Edrych tuag at un o'r llofftydd a rhai o hoff eitemau Griff, gan gynnwys pot coffi Portmeirion o'r 1960au a gynlluniwyd gan Susan Williams-Ellis.

A view through to a bedroom reveals some favourite objects including a 1960s Portmeirion coffee pot designed by Susan Williams-Ellis.

Mae'r print Edwardaidd yn gweddu i'r dim yn erbyn y papur wal modern. "Ar ôl i mi weld y papur wal, roedd rhaid i mi ffeindio wal iddo", meddai Griff. "Mi syrthiais mewn cariad ag o'n syth bin."

An Edwardian print looks completely at home against a contemporary wallpaper. "I saw the wallpaper and I knew I must find the wall for it", says Griff Rowland. "It was love at first sight."

Mae'r dillad gwely gwyn, syml, yn cyferbynnu â lliwiau moethus y waliau llwyd a'r cypyrddau dillad â wyneb pren cneuen Ffrengig.

The simple white bed-linen contrasts with the rich grey colour of the wall and the fitted wardrobes in walnut veneer.

Mae llinellau glân moderniaeth yn wrthgyferbyniad perffaith i'r papurau wal coeth a'r tecstilau moethus, a chlasuron cynllunio'r 1960au yn cydfyw'n hapus â phrintiau Edwardaidd a chaise longue Fictoraidd. Er y defnydd o gynnyrch cynllunwyr, does dim byd rhodresgar ynglŷn â'r cartref dinesig hwn y tu ôl i'w wyneb traddodiadol.

The clean lines of modernism are perfectly balanced by indulgent wallpapers and luxurious textiles. Design classics from the 1960s sit comfortably side by side with Edwardian prints and a Victorian chaise longuc. Despite the use of designer fittings there is nothing stuffy or pretentious about this urban pad that hides within its traditional shell.

Gwely o'r 1930au gan gwmni Heal and Sons, Llundain, yn rhoi tipyn o osgeiddrwydd Ffrengig i ystafell wely sbâr.

A 1930s bed from Heal and Sons in London brings a touch of French elegance to a guest bedroom.

Lluniau polaroid yn creu mur cyfeillgarwch yn yr ystafell fwyta.

Polaroid snapshots create a hall of friendship in the dining area.

UCHOD / ABOVE

Sgriniau Indiaidd wedi'u paentio a'u gosod fel caeadau ffenestri i reoli'r golau yn yr ystafell fyw. Daw'r ddesg o India hefyd.

Painted Indian screens have been made into window shutters that are used to regulate the light in the living room. The desk is also Indian.

Castellmai, Caernarfon

Sioned Emrys

Anodd dweud beth yn union yw Castellmai. Mae ei gasgliad o adeiladau amaethyddol yn awgrymu mai fferm ydyw, ond mae ei nodweddion pensaernïol cain yn awgrymu lle tipyn mwy mawreddog. Yr hyn a gawn, felly, yw cartref bonheddwr sy'n gyfuniad o fferm a maenordy bach ar batrwm cymesur a syml – dim ond pedair ystafell ar y llawr uchaf a phedair ar y llawr isaf, oll o'r un maint.

It isn't easy to say exactly what Castellmai is. Its collection of agricultural outbuildings suggest it to be a farm, but its elegant proportions and fancy architectural details confirm that it was built with some pretension of grandeur. So, this 'gentleman's residence' sits between being a farm and a small manor, built with a remarkably simple symmetry – just four rooms up and four rooms down, each of the same size.

UCHOD / ABOVE

Castellmai

ISOD / BELOW

Casgliad o waith arian o'r India yn y llofft.

A collection of Indian silver in the bedroom.

Pan adeiladwyd Castellmai yn nechrau'r bedwaredd ganrif ar bymtheg, cynlluniau clasurol Groeg a Rhufain oedd ffasiwn y dydd, wedi'u hysbrydoli gan deithiau'r cyfoethog i bob cwr o Ewrop. Heddiw, mae teithio i bedwar ban byd lawer yn haws nag yr oedd yn y cyfnod Sioraidd, a chynlluniau India, Gwlad y Thai a'r dwyrain pell sy'n harddu'r ystafelloedd braf hyn.

When Castellmai was built in the early nineteenth century the classical designs of Greece and Rome were the fashionable reference points of the day, inspired by the European grand tours of the wealthy. Today, long-haul travel is much easier than in Georgian days, and it is the designs of India, Thailand, and the far East that fill these elegant rooms.

ISOD / BELOW

Silff angylaidd o Kerala ger y stof Rayburn. Mae potyn o Ibiza yn dal amrywiaeth o offer cegin hen a newydd o bedwar ban byd.

A carved angel shelf from Kerala sits next to the Rayburn stove. An Ibizan pot holds antique and modern kitchen utensils from around the world.

ISOD / BELOW

Atgof o Iran a Moroco yn y gegin, gyda chwpwrdd o Goa i'r dde o'r stof Rayburn.

The kitchen has echoes of Morocco and Iran, and a cupboard from Goa sits to the right of the Rayburn stove.

A hithau'n rhedeg busnes mewnforio dodrefn a defnyddiau dwyreiniol, mae Sioned Emrys yn un o'r rhai prin hynny sy'n ddigon ffodus i allu cyfuno busnes a phleser. Mae ôl ei theithiau busnes i'w weld ym mhob ystafell yn ei chartref. Mae'r India wedi bod yn ysbrydoliaeth gyson iddi byth ers mentro i fyd ffasiwn a thecstilau gyda brand Monsoon y stryd fawr. Bellach, mae hi'n treulio rhywfaint o'r flwyddyn yn ninas Delhi Newydd, yn gwneud yr hyn mae'n ei fwynhau fwyaf – siopa – er mwyn prynu stoc newydd i'w siop yn Nhremadog.

"Yr hyn dwi'n ei hoffi fwyaf yw maint y tŷ. Mae 'na ddigonedd o le ar gyfer carpedi, tecstilau a dodrefn hynafol yma," meddai.

Er bod cymysgedd o ddodrefn yn y tŷ, nid yw'n teimlo fel petai popeth blith draphlith diolch i'r nenfydau uchel a'r ystafelloedd eang, law yn llaw â'r llonyddwch Dwyreiniol sy'n llenwi'r tŷ.

Running a business that imports Eastern textiles and furniture, Sioned Emrys is one of the lucky few who can combine business with pleasure. The stock of her trade can be seen in every room. India in particular has been a constant source of inspiration for her since her first venture into textile and fashion with high street brand Monsoon. She now spends part of each year in New Delhi doing what she enjoys most – shopping – for new stock to import to her shop in Tremadog.

"The thing I love most about the house is its size. I've got plenty of room here to fill the place up with antique rugs, textiles, and furniture," she says.

It is an eclectic mix of furniture, and a busy one, but the high ceilings and elegant proportions of the home mean that it doesn't feel cluttered, and a sense of Eastern tranquillity pervades.

CHWITH / LEFT

Yn y brif ystafell fyw, mae dwy soffa Knole a chadeiriau wedi'u gorchuddio â deunydd kilim hynafol o Dwrci.

The main sitting room has two Knole sofas and wingchairs covered in antique Turkish kilims.

BRIG / TOP

Ynys Ibiza oedd ysbrydoliaeth Sioned Emrys wrth greu'r gegin syml. Defnyddiwyd slabiau concrid ar gyfer yr ardd a'u hiro ag olew i greu wyneb gwaith rhad ond effeithiol dros ben.

The simple kitchen design is inspired by those that Sioned Emrys saw in Ibiza. Concrete slabs designed for the garden have been oiled and provide an affordable but effective worktop.

Panelau Jali yn cuddio'r tŷ bach o weddill yr ystafell ymolchi. Roedd rhaid atgyfnerthu'r llawr yn unswydd i ddal pwysau'r baddon haearn newydd.

Jali panels screen the toilet from the bathing area in the bathroom. The floor had to be strengthened specially to hold the weight of the new cast-iron bath.

Does dim angen llenni ar y gwely gogoneddus hwn o'r bedwaredd ganrif ar bymtheg i hoelio'r sylw. Mae deunydd brodwaith o Kashmir yn harddu'r ffenestri.

An elegant nineteenth century bedstead doesn't need drapes to make an impact. Crewel-work curtains from Kashmir adorn the window.

Cefn Pennar Uchaf, Aberpennar / Mountain Ash

Roland Powell a/and Ralph Sanders

Y waliau coch cryf yn ychwanegu at gynhesrwydd y lolfa. Mae gan y silff ben tân o lechfaen Cymru gorbelau euraidd, a chlustogau kilim o flaen y tân.

The rich red walls add warmth to the sitting room. A Welsh slate mantelpiece has gilded corbels, and kilim cushions rest in front of the working fire.

Ralph Sanders a Roland Powell a'u ci Archie yng Nghefn Pennar Uchaf.

Ralph Sanders and Roland Powell with their dog Archie at Cefn Pennar Uchaf.

Rhaid bod fferm Cefn Pennar Uchaf, a adeiladwyd ym 1851, wedi dyheu am y diwrnod pan brynodd Roland Powell a'i bartner Ralph Sanders y lle yn 2003. Gyda Roland yn arbenigwr ar adfer adeiladau a Ralph yn rhedeg siop ddodrefn yng Nghaerdydd, does dim rhyfedd bod yr hen ffermdy wedi cael bywyd newydd.

Cefn Pennar Uchaf farm, built in 1851, must have breathed a sigh of relief in 2003 when it was bought by Roland Powell and his partner Ralph Sanders. The former works in specialist building renovation, and the latter owns a furniture shop in Cardiff, so it is no surprise that the dilapidated building has been given a makeover to write home about.

UCHOD / ABOVE

*Llechen Gymreig sydd ar wyneb gwaith y gegin.
Mae'r teils geometrig modern ar y llawr yn gweddu
i'r dim i wreiddiau Fictoraidd y ffermdy.*

*Slabs of Welsh slate dominate the kitchen
worksurface. The modern geometric floor tiles
suit the Victorian origins of the farmhouse.*

UCHOD / ABOVE

*Un o bortreadau cynnar Ceri Richards sy'n hongian
ar reilen bictiwr draddodiadol uwchben cloc ormolw
Ffrengig.*

*An early portrait by Ceri Richards hangs on a
traditional picture rail above a gilded French
ormolu mantel clock.*

UCHOD / ABOVE

*Lluniau du a gwyn modern o lan y môr gan Roland
Powell, uwchben hen gadair freichiau a basiwyd o
genhedlaeth i genhedlaeth gan deulu Ralph Sanders.*

*Modern black and white photographs of the seaside
taken by Roland Powell hang above an old armchair
passed down through Ralph Sanders's family.*

DDE / RIGHT

*Canhwyllbren
anarferol.*

*Detail of a whimsical
candelabrum.*

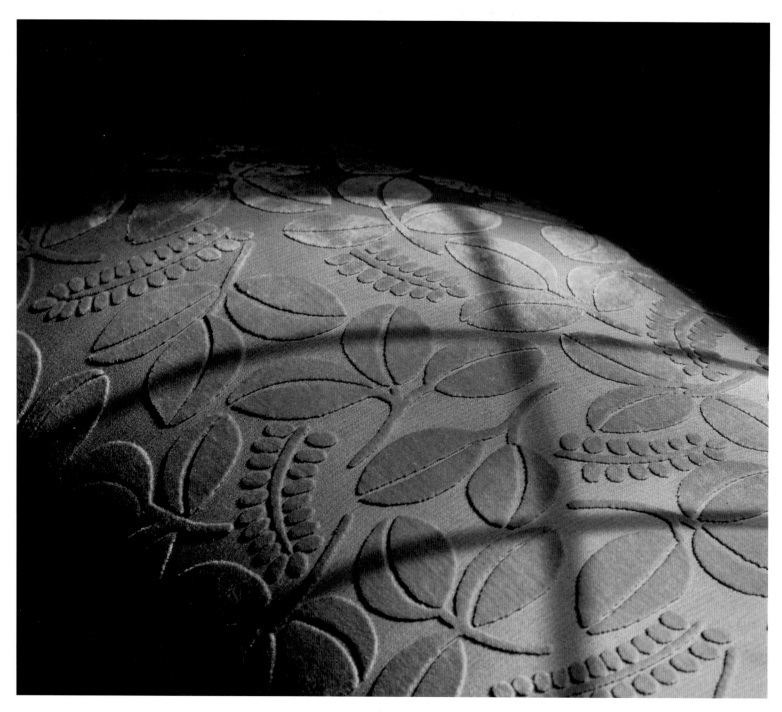

Mae'r teils llosgliw yn y cyntedd yn newydd, ond yr un ffunud â'r rhai Fictoraidd gwreiddiol.

Encaustic tiles in the hallway are new, but identical to Victorian originals.

Manylyn o ddefnydd melfed y chaise longue.

Detail of the cut velvet fabric on the chaise longue.

Gwely pedwar postyn modern yw canolbwynt yr ystafell wely sbâr. Mae'r set radio o'r 1950au a'r chaise Fictoraidd yn hollol gartrefol gyda'r papur wal dramatig.

A contemporary four-poster bed takes centre stage in the guest bedroom. The reproduction 1950s radio and Victorian chaise are at home against the bold wallpaper.

"Mae gan Ralph syniadau mwy traddodiadol," cyfaddefa Roland, "ond petawn i'n cael fy ffordd fy hun, fe fyddwn i'n llenwi'r tŷ â dodrefn modern fel rhan o steil minimalaidd."

"Ralph has more traditional ideas," admits Roland, "but if it was left to me I would fill the house with modern furniture, and go for a minimalist style."

Mae'r nodweddion gwreiddiol wedi'u hadfer i'w hen ogoniant, a'r lleoedd tân yn gweithio eto – ond does dim o hen awyrgylch syber Oes Fictoria yma, diolch i'r dewis o gelfi cyfoes. O orfod cyfuno'r hen a'r newydd er mwyn bodloni chwaeth y naill a'r llall, mae'r cwpl wedi llwyddo i greu cartref hynod drawiadol.

Original features have been restored, and fireplaces are back working again, but a fresh contemporary choice of furniture means that there is no feeling of Victorian stuffiness. In fact, in having to tread the line between old and new, the couple have created a home that is more successful than it could ever have been had they stuck to the individual tastes of either.

GYDA'R CLOC / CLOCKWISE

Poster Ffrengig o 1907 sy'n hysbysebu aperitif, uwchben cadair freichiau ledr yn yr ystafell fwyta sy'n arwain i'r gegin agored.

A 1907 French poster advertising an aperitif hangs above a comfortable leather armchair in the dining area, open-plan to the kitchen.

Portread bychan gan Mary Griffiths yn y gegin.

A tiny portrait by Mary Griffiths hangs in the kitchen.

Robot tun i godi gwên ar silff ben tân Fictoraidd.

A tin robot adds an amusing touch to a Victorian mantelpiece.

GYDA'R CLOC / CLOCKWISE

Blodau gwyn y 'gorthyfail llyfn' ar y papur wal gyda darlun gan Mike Briscoe.

A Mike Briscoe painting hangs against the 'cow parsley' print wallpaper.

Haul y gaeaf yn llifo i'r brif ystafell wely a thrwy hen gadair freichiau â chefn ffyn. Mae carthen Melin Tregwynt yn ychwanegu tinc cyfoes i'r cyfan.

Winter sunlight floods into the master bedroom and through the rungs of an old ladder-back armchair. A Melin Tregwynt blanket adds a contemporary touch.

The Coach House, Ceredigion

Dan a/and Lavinia Cohn-Sherbok

Lavinia Cohn-Sherbok

Y gerddi sy'n cuddio'r coetsiws oddi wrth y byd.

The coach house is hidden in its own garden setting.

Lletwadau cawl sycamorwydden yn hongian o silff ben tân y gegin. Mae llun o fam Dan Cohn-Sherbok gerllaw.

Sycamore soup ladles, or 'lletwadau cawl' hang from the kitchen mantelpiece. A portrait of Dan Cohn-Sherbok's mother hangs alongside.

Byddai hyd yn oed yr awdur mwyaf brwd wedi mopio'n lân gyda'r biwro, y ddesg a'r ddesg davenport. Mae hen brintiau a mapiau niferus o Gymru ar y waliau.

A choice of davenport, bureau, and desk would satisfy even the most ardent writer. Antique Welsh prints and maps line the walls.

Symudodd Dan a Lavinia Cohn-Sherbok i Geredigion ym 1997 pan benodwyd Dan Cohn-Sherbok yn Athro Iddewiaeth ym Mhrifysgol Cymru, Llanbedr Pont Steffan. Yn wahanol i lawer o fewnfudwyr, maen nhw wedi ymdoddi'n llwyr i'r ardal trwy ddysgu Cymraeg yn rhugl, ac yn ymddiddori'n fawr ym mhensaernïaeth a henebion y fro.

The Cohn-Sherboks moved to West Wales in 1997 when Dan Cohn-Sherbok was appointed Professor of Judaism at the University of Wales, Lampeter. Unlike many incomers they have immersed themselves in the local culture, learned Welsh to fluency, and developed a keen interest in local architecture and antiques.

Edrych tua'r brif lolfa, o'r gegin agored. Mae drysau gwydr yn arwain i'r gerddi prydferth.

Looking through to the main sitting room from the open-plan kitchen. French doors lead to the lovely gardens.

Atgynhyrchiad o gadair pregethwr Gymreig, wedi'i chomisiynu gan Lavinia Cohn-Sherbok fel anrheg i'w gŵr am gyrraedd rownd derfynol cystadleuaeth 'pregethwr y flwyddyn' papur newydd The Times.

Lavinia Cohn-Sherbok commissioned the reproduction of the Welsh preacher's chair for her husband as a gift when he was a finalist in The Times *'Preacher of the Year' competition.*

Mae'r ffordd y maent wedi mynd ati i ddodrefnu ac addurno'r hen goetsiws yn pwysleisio eu cariad at eu bywyd newydd – y dodrefn, cwiltiau, dysglau pren a tsieni Cymreig. Lled un ystafell yw'r tŷ mewn gwirionedd, gyda balconi mezzanine uwchben y brif ystafell fyw – ond mae'n hen ddigon hir ar gyfer eu diddordebau amrywiol.

Mae'r cwpl wedi llenwi'u cartref â thrugareddau di-ri dros y blynyddoedd, wrth fynd o un ffair henebion ac arwerthiant lleol i'r llall. Heddiw, caiff ymwelwyr eu croesawu gan ddryswch cysurus o lyfrau, tecstilau, printiau a phorslen – prawf bod y Cohn-Sherboks wedi hen fwrw gwreiddiau yn eu bro.

Their love of their new life is reflected in the way in which they have furnished their converted coach house with Welsh furniture, quilts, treen, and china. The house is just one room deep, with a mezzanine balcony overhanging the main living space, but is long enough to accommodate their various interests.

The house has gradually filled over the years as the pair visited antiques fairs and local sale-rooms. Today the visitor is welcomed by a comfortable clutter of books, textiles, prints and porcelain that confirm that the Cohn-Sherboks have truly become part of their local community.

DDE / RIGHT

Byddech yn disgwyl i lyfrau gael lle blaenllaw yng nghartref athro, ac mae gan y Coach House gasgliad arbennig gan gynnwys llyfr gweddi'r Pasg Iddewig.

You'd expect books to take pride of place in the home of a professor, and The Coach House has a rich collection including this Passover prayer book.

Tipyn o hiwmor annisgwyl – tegan Arch Noa gan y Siglwyr.

An unexpected frivolity in the form of a Shaker-made Noah's Ark toy.

Llun olew o Charles Darwin sy'n atgof o enw coleg blaenorol Dan Cohn-Sherbok yng Nghaergaint.

An oil portrait of Charles Darwin is a reference to the name of Dan Cohn-Sherbok's former college in Canterbury.

The Crooked House, Llanandras / Presteigne

Mark a/and Tia Swan

Mae tai pren fel arfer yn simsanu a sigo gyda thraul y blynyddoedd. Maen nhw'n symud gyda'r ddaear oddi tanynt, a'r sylfeini'n sadio i'w lleoliad newydd.

Timber-framed houses often sag and twist as they get older. They move as the land beneath them heaves and subsides, and the frame readjusts itself as it reseats in its new position.

GYFERBYN / OPPOSITE

To crwca'r tŷ crwca; lle mae patrwm saethben y teils yn pwysleisio'r to cam.

The crooked roof of the crooked house; a herringbone pattern in the roof tiles accentuates the lean.

UCHOD / ABOVE

Mae'r drws ffrynt stydennog yn arwain i'r cyntedd â'i lawr llechi mâl a choffr derw hynafol. Mae hen bâr o sgidiau sglefrio'n disgwyl am y gaeaf.

The studded front door leads into a hallway with a shattered quarry tile floor and a truly ancient oak coffer. An old pair of ice skates hang ready for the winter.

UCHOD / ABOVE

Anghofiwch am glydwch gwres canolog. Tanllwyth o dân yr aelwyd fawr sy'n cynhesu'r tŷ arbennig hwn byth ers ei adeiladu ym 1550. Mae modd symud y craen traddodiadol ar gyfer coginio, ac mae'r cadeiriau melfed yn perthyn i oes Fictoria.

Modern conveniences like central heating are not to be found in The Crooked House. Winters are spent in front of this impressive inglenook, just as they have been since the house was built around 1550. A traditional crane is adjustable for cooking, and the velvet-upholstered chairs are Victorian.

Dyna'n union yw hanes Crooked House, sydd wedi sefyll ar fryniau Clawdd Offa ers canrifoedd lawer. Yn lle ceisio unioni'r waliau cam a'r to bregus, mae'r perchnogion Mark a Tia Swan wedi gwneud popeth posib i gadw pethau fel ag y maent, ac yma ac acw, wedi ychwanegu at olwg wyrgam y chrwca'r tŷ hyd yn oed.

The Crooked House has done just that over the many centuries that it has sat in its hillside setting right on the border with England. Instead of attempting to correct the outrageous rake of the walls and the collapsing ridge of the roof, owners Mark and Tia Swan have done everything they can to maintain the status quo, and in some cases have even exaggerated the twisted façade and its ramshackle appearance.

Mae dodrefn gwledig syml i'w gweld drwy'r tŷ cyfan.

Simple country furniture is seen throughout the house.

Mae'r ôl traul ar y grisiau sy'n arwain i'r ystafell eistedd yn adlewyrchu blynyddoedd o ddefnydd.

The well-worn slate steps into the sitting room reflect years of use.

67

Cadair ffyn gyntefig o Iwerddon o flaen y waliau gwyngalchog treuliedig.

A primitive Irish stick chair sits in front of the distressed lime-washed walls.

Gwelyau plu sydd yma, ac nid addurn yn unig yw'r pot siambr. Mae'r waliau a'r nenfydau wedi'u gwyngalchu, a hefyd banel dellt di-blastr.

Only feather mattresses are used in The Crooked House, and the chamberpot isn't for decoration. Limewash covers the ceiling and wall including a panel of unplastered rustic laths.

Ac yntau eisoes wedi dymchwel ac ailgodi hanner dwsin o adeiladau hanesyddol, Mark oedd yr union ddyn i fynd i'r afael â'r ffermdy hynafol hwn. Mae'r pentan yn dyddio'n ôl i tua 1550 a'r prif do ganrif yn ddiweddarach, ond bydd archeolegwyr y dyfodol wedi drysu'n lân gyda'r gwaith ychwanegol mae'r Swans wedi'i wneud: defnyddio hen goed i drwsio'r trawstiau pydredig, ac achub darnau canoloesol o adeiladau lleol eraill oedd ar fin cael eu dymchwel.

Dyma enghraifft gampus o adeilad sy'n wers i ni i gyd – sef anghofio am linellau perffaith y lefel saer, a dathlu'r crwca a'r gwyrgam yn ein cartrefi ein hunain.

Having dismantled and re-erected half a dozen historic buildings, Mark was just the man to tackle the restoration of this ancient farmhouse. The inglenook dates to around 1550 and the main roof to a century later, but any future archaeologist will be completely confused by the additions that the Swans have introduced: repairing rotted timbers with similarly ancient originals, and salvaging medieval fixtures and fittings from other local buildings faced with demolition.

The result is a delightfully contorted house that is a lesson to us all to throw out the spirit level and celebrate the lesser leans that we find in our own homes.

Mae'r estyniad yng nghefn y tŷ yn wrthgyferbyniad llwyr i'r tu mewn traddodiadol. Diolch i'r nenfwd gwydr, mae'n olau braf mewn lle a fyddai'n ddigon tywyll fel arall. Gwaith Charles Rennie Mackintosh sydd wedi ysbrydoli'r cadeiriau modern.

The rear extension contrasts sharply with the traditional interiors of the house. A clever glass ceiling brings light into what would otherwise be a dead space. The modern chairs are inspired by the work of Charles Rennie Mackintosh.

Crouch End, Llundain / London

Angharad Elis Jones a/and
Christopher McGee-Osborne

Adeiladwyd y fila brics coch ym 1904.

The red-brick villa was built in 1904.

Pan brynodd Angharad Elis Jones a Christopher McGee-Osborne eu fila Edwardaidd yn y flwyddyn 2000, roedd wedi bod yn nwylo'r un teulu ers ei adeiladu ym 1904. Roedd hyn yn beth da ar un llaw, gan fod llawer o'r nodweddion gwreiddiol yno o hyd, ond ar y llaw arall, roedd angen cryn dorchi llewys i'w droi'n gartref modern. Yn wir, penderfynodd Angharad gymryd cyfnod sabothol o'i swydd fel cyfreithwraig er mwyn rheoli'r gwaith adfer.

When Angharad Elis Jones and Christopher McGee-Osborne purchased their Edwardian villa in 2000, it had been in the hands of just one family since it was built in 1904. This was a blessing in that the original fixtures and fittings survived, but it also meant that there was a lot of work to be done to bring the home up to modern standards. The project was so huge, and the house so deserving, that Angharad decided to take a sabbatical from her work as a solicitor to manage the restoration.

Rhoddwyd sylw i bob manylyn lleiaf wrth adfer ysblander Edwardaidd yr ystafelloedd. Diolch i oriau o bori drwy lyfrau cartrefi cyfnod, mae'r tu mewn yn driw i bensaernïaeth y tŷ, a defnyddiwyd papur wal a lliwiau wedi'u hatgynhyrchu sy'n cyd-fynd â theils gwreiddiol y llefydd tân.

Er i'r Angharad fynd ati i warchod y nodweddion gwreiddiol, dangosodd ei hochr fodern feiddgar pan gafodd rwydd hynt i gynllunio'r estyniad yng nghefn y tŷ. Penderfynodd ar estyniad cwbl gyfoes gyda tho gwydr lle byddai'r rhan fwyaf o bobl wedi dewis cael ystafell ffug-Edwardaidd.

Mae bywyd Angharad wedi newid yn llwyr ar ôl goruchwylio'r gwaith o adfer y tŷ. Ni ddychwelodd i weithio ym myd y gyfraith; yn hytrach, mae'n cael modd i fyw yn ysgrifennu llyfrau plant.

CHWITH / LEFT

Mae celfi cyfnod yn britho'r tŷ.

Period furnishings are found throughout the house.

DDE / RIGHT

Ffitiadau 'cyfnod' yr ystafell ymolchi – rhai alwminiwm mewn gwirionedd, wedi'u gwneud o fowldiau gwreiddiol.

'Period' bathroom fittings are in fact cast in aluminium using original moulds.

Attention to detail has been the order of the day as the rooms have been returned to their Edwardian splendour. Hours spent browsing through period interiors books meant that the interior scheme is entirely in keeping with its architecture, and reproduction papers and colours have been used to tie in with the original tiles from the fireplaces.

Angharad is a traditionalist when it comes to preserving original detail, but when she had a free hand in designing the rear extension the result is a cutting-edge space with a plate glass roof; whereas most owners would have opted for a pastiche Edwardian conservatory.

Overseeing the renovation was a life-changing experience for Angharad and she never returned to her work practising law; instead, she gets much more pleasure from writing books for children.

DDE / RIGHT

Defnyddiwyd copi o brint ffiwsias Edwardaidd fel papur wal yr ystafell sbâr sy'n cynnwys gwely Ffrengig o'r bedwaredd ganrif ar bymtheg.

A reproduction Edwardian fuschia print was used to paper the guest bedroom with another nineteenth-century French bed.

Gwely Ffrengig o'r bedwaredd ganrif ar bymtheg, gyda'i ddefnydd gwreiddiol. O Ffrainc y daw'r siandelïer crisial hefyd.

The stately half-tester bed is nineteenth-century French and retains its original fabric. The crystal chandelier is also French.

UCHOD / ABOVE

Cynefin. Mae'r berthynas rhwng yr adeilad a'i amgylchfyd yn hollbwysig. Mae'r to cymhleth yn adlewyrchu mynyddoedd Dyffryn Dysynni y tu cefn iddo, a'r defnydd o gerrig a llechi lleol yn gymorth i ymdoddi'n berffaith i'w gynefin.

Cynefin. The relationship between the building and its landscape is all important here. The complex roof reflects the mountains of the Dysynni valley behind, and the use of local stone and slate helps it blend in seamlessly with its setting.

ISOD / BELOW

Gwaith llaw Dafydd Davies Hughes yw'r drysau, gyda gwaith haearn yn dilyn siâp y drws. Mae i'r cliciedau pren glec gadarn wrth agor a chau'r drysau.

Dafydd Davies Hughes constructed the handmade doors using hand-forged ironwork that follows the curve of the door. The wooden latches make a satisfying 'clunk' when used.

Cynefin, Meirionnydd

Peter a/and Judith Saunders

Pe bai'r hobbit Bilbo Baggins yn byw yng Nghymru heddiw, byddai Cynefin yn gwneud iddo deimlo'n gwbl gartrefol. A pha ryfedd, gan i dirwedd anhygoel Meirionnydd ysbrydoli J R R Tolkein ei hun.

Er mai dim ond yn 2002 yr adeiladwyd y cartref cyfoes hwn, mae eisoes yn rhan annotod o'i gynefin, a gallech feddwl ei fod wedi tyfu'n naturiol o'r tir.

Nid yw'n syndod bod pensaer y prosiect, Christopher Day o Sir Benfro, wedi hyfforddi fel cerflunydd yn gyntaf, a'i fod hyd yn oed wedi creu model o'r tŷ gyda darn o glai cyn rhoi ei syniadau ar bapur.

Y tu mewn, mae'r crefftwr o Lŷn, Dafydd Davies Hughes wedi creu gwaith coed gwych ochr yn ochr â phaneli gwydr gan yr artist gwaith gwydr Bill Swann, sydd â stiwdio ym Mhorthmadog. Mae'r cyfan yn ategu llinellau meddal y tu allan, a'r bwtresi sydd fel petaent yn tyfu o'r ddaear.

If Bilbo Baggins the hobbit had lived in twenty-first century Wales then he would have felt completely at home at Cynefin. The idea isn't actually such a fancy one as J R R Tolkein was inspired by the remarkable landscape in which this house stands.

Built only in 2002, this contemporary home already has a permanence that makes you think that it has grown organically from the ground on which it stands.

It comes as no surprise to learn that the concept architect on the project, Christopher Day from Pembrokeshire, trained first as a sculptor, and even modelled the original form for the house from a lump of clay before transferring his ideas to paper.

The soft lines of the exterior, with its buttresses that 'grow' out of the earth is complemented perfectly by some inspired interior woodwork by Llyn-based craftsman Dafydd Davies Hughes and by glass panels by artist glassmaker Bill Swann, whose studio is in Porthmadog.

Grisiau o goed derw ac onnen lleol, gan y crefftwr Dafydd Davies Hughes.

The bespoke stairs by craftsman Dafydd Davies Hughes are built in local ash and oak.

ISOD / BELOW

Pentan llyfrau diddorol wedi'i naddu o bren.

A novel bookend carved from wood.

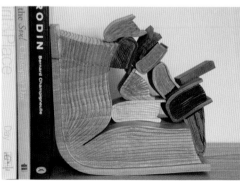

"Mae Cynefin yn noddfa gysurus braf," meddai'r perchennog Peter Saunders. "Mae ei ffurf gerfluniaidd yn sensitif a soffistigedig, heb fod yn ffuantus."

Nid prosiect adeiladu cyffredin mo hwn, ond llafur cariad. Mae'r sylw a roddwyd i'r pethau bach pwysig fel y cliciedau drws pren o waith llaw a chanllaw'r grisiau yn ategu hyn, ynghyd â'r meddwl gofalus a roddwyd i bob golygfa. Wrth droedio lloriau'r tŷ, mae lefelau gwahanol y llawr isaf yn denu sylw ac yn adlewyrchu pant a bryn y wlad o'i gwmpas.

Yn ôl y pensaer Christopher Day, mae gan y tŷ enaid ac mae'n llwyddo i harneisio ynni naturiol y safle. Heb os, mae'n teimlo'n gartrefol braf yn ei gynefin naturiol.

"Cynefin offers comfort, protection, and peace," says owner Peter Saunders. "Its sculptural form is sensitive and sophisticated but without pretension."

It is clear that this was no ordinary construction project; it was a project of love, and this is shown in the remarkable attention to detail in the handmade wooden door-latches, the bespoke banisters, and the thought that has gone into every vista. As you progress through the house, the different ground-floor levels add interest to the journey and reflect the changing levels of the hillside outside.

Architect Christopher Day claims that the house draws on the natural energy of the site and has a sense of soul. Nobody could deny that this home feels completely at ease with its beautiful surroundings.

DDE / RIGHT

Paneli gwydr yn addurno'r drysau, gan yr artist gwaith gwydr lleol Bill Swann.

Internal doors have been given decorative glass panels by local artist glassmaker Bill Swann.

Mae llawr llechi'r ystafell haul fel storfa sy'n denu gwres haul y dydd i'w chynhesu min nos.

The sunroom has a slate floor that acts as a heat store, collecting energy from the sun during the day and emitting it at night.

Ysgubor Duke / Duke's Barn, Sir Fynwy / Monmouthshire

Andy Collins a/and Siân Hills

Edrych drwodd o'r gegin i'r man eistedd cynllun-agored.

Looking through from the kitchen to the open-plan sitting area.

Troi adeilad hir fel hwn yn nifer o ystafelloedd bychain yw'r arfer gan amlaf. Braf gweld Ysgubor Duke yn ei chyfanrwydd.

Most buildings this long would have been carved up into a number of units. It is great that Duke's Barn retains its integrity as a whole.

Dros y 30 mlynedd diwethaf, mae peth wmbreth o hen adeiladau fferm segur wedi'u haddasu'n gartrefi ar hyd a lled Cymru. Mae rhai wedi llwyddo'n fwy na'i gilydd, ond y rhelyw'n fwy addas i swbwrbia na chefn gwlad gyda'u simneiau newydd sbon a'u patios concrid, a ffenestri a drysau wedi'u tyllu mewn waliau a fu'n foel cyn hynny.

Mae Ysgubor Duke yn enghraifft berffaith o waith addasu sgubor ar ei orau. Mae'n parchu pensaernïaeth yr hen sgubor ac wedi cadw'r nodweddion gwreiddiol, gan lwyddo i edrych fel adeilad fferm yng nghefn gwlad o hyd.

Nid tasg hawdd mohoni, o gofio mai ychydig iawn o fylchau naturiol oedd yno yn y lle cyntaf. Ond yn lle creu drysau a ffenestri fferm ffug, cafwyd fflach o ysbrydoliaeth i ddenu golau i mewn i'r adeilad sy'n 110 troedfedd o un pen i'r llall.

In the past thirty years there has been a great rush in Wales to convert empty and derelict farm buildings into homes. Some have been done well, but most have been less successful, with the resulting buildings looking more suburban than rural with their rustic new chimneys, concrete-slabbed patios, and windows and doors poked into previously blank walls.

Duke's Barn, on the other hand, is a lesson in how to convert a barn well. It respects the original architectural form, conserves all the original details, and can still be 'read' as an agricultural building within its rural landscape.

This was no mean task when you consider how few natural openings the owners had to play with. But rather than contriving 'farmhouse' windows and doors, they have come up with ingenious solutions to carry light through the 110-feet-long building.

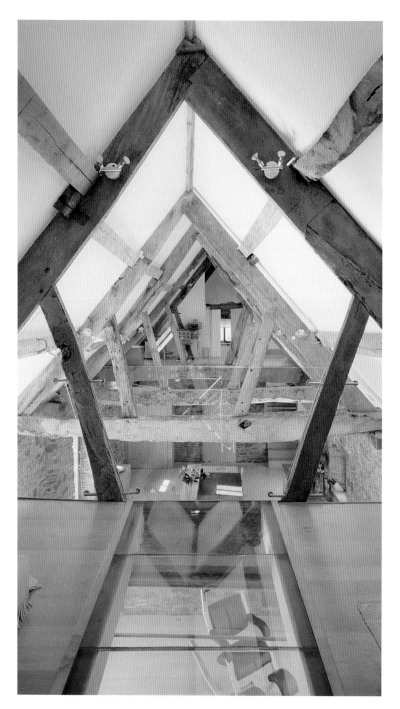

Mae bylchau enfawr y drysau dyrnu gwreiddiol wedi'u llenwi â gwydr, gan adael i'r golau lifo i'r brif ystafell fyw. Mae'n adlewyrchu oddi ar y llawr pren golau a thrwy'r waliau mewnol a'r parwydydd sy'n wydr i gyd. Ac yn lle gosod ffenestri to di-ri, gosodwyd paneli gwydr yn y lloriau i 'fenthyg' golau o'r llawr isaf.

Mae'r prosiect yn llwyddiannus am nad yw'n gwneud unrhyw ymgais i guddio'r gwahaniaeth rhwng yr hen a newydd. Mae derw a charreg y sgubor wreiddiol yma o hyd, a'r rhannau newydd o wydr a dur yn gwbl glir. Byddai'n ddigon hawdd i rywun droi'r tŷ yn sgubor yn ei ôl ymhen canrif, pe bai angen – ni fyddech fawr callach i'r adeilad amaethyddol hwn fod yn gartref cyfoes trawiadol ar un adeg.

The huge openings of the original threshing doors have been glazed and throw light into the main living space. This light is reflected off the pale timber floor and through internal walls and partitions that are all glass. Rooflights have been kept to a minimum, and instead glass panels have been used for the internal floors; hence light can be 'borrowed' from downstairs.

What really makes this project so successful is that there has been no attempt to fudge the line between old and new. The original barn retains its oak and stone, whereas the new work is all glass and steel. Should somebody decide to convert this house back into a barn in a century or so it would be easy to do, and you'd never know that this former agricultural space had once been a breath-taking modern home.

Er bod y rhodfa wydr yn ddigon i godi ofn arnoch chi'r tro cyntaf, mae'n osgoi'r angen i roi ffenestri yn y to: craffwch yn ofalus, ac fe welwch chi ganllaw gwydr 'anweladwy'.

The glass walkway on the first storey is disconcerting on a first visit, but it avoids the need to insert rooflights: look carefully and you will see an 'invisible' glass balustrade.

Golygfa o'r brif ystafell fyw, drwy'r parwydydd a'r drws llithro gwydr. Mae'r elfennau hen a newydd yn gwbl amlwg.

Looking through glass partitions and a sliding glass door into the main living space. It is easy to see the divide between what is old and what is new.

Grisiau serth i'r lolfa. Diolch i'r drws gwydr, nid oedd angen rhoi mwy o ffenestri yn yr hen waliau brics.

Steep steps lead up to the lounge, and a glass door meant that extra windows didn't need to be knocked through the old brickwork.

Mae Alison Harris wrth ei bodd yn byw mewn melin wynt.

Alison Harris loves her windmill home.

The Mill, Edenbridge, Caint / Kent

Alison Harris a/and William Boulter

Er bod Alison Harris wedi dyheu am gael cartref unigryw neu anghyffredin erioed, ni ddychmygodd y byddai'n byw mewn hen felin wynt. Roedd dianc o Lundain i'r wlad yn newid byd iddi, ac nid yw gorfod dringo cymaint o risiau yn ei chartref pedwar llawr yn poeni dim arni.

"Yr unig anfantais yw bod rhaid cael dau foeler nwy yma, am ei bod hi'n anodd pwmpio'r dŵr poeth i'r lloriau uchaf ... sy'n bris bach i'w dalu am gael byw mewn lle mor arbennig," meddai Alison sy'n rhannu'r felin gyda'i chymar William Boulter.

Alison Harris had always dreamt of living somewhere unique or unusual, but never dared to imagine that she'd end up calling a former windmill her home. Her escape from London to the country was a complete change in lifestyle, and she has no regrets about having to climb the many stairs up the four floors of the mill.

"The only disadvantage is that we have to have two gas boilers as it is hard to pump the hot water up such a height ... but that is a small sacrifice for living in such an amazing home," says Alison who shares the windmill with partner William Boulter.

Ar y llawr isaf mae'r gegin fawr â chypyrddau pwrpasol sy'n ffitio'r waliau crwn, ac ystafell molchi. Mae'r rhes gyntaf o risiau'n arwain i'r lolfa, ac i lofft a chawod ar y llawr nesaf. Mae un o'r lloriau uchaf yn cynnwys rhai o hen beiriannau'r felin wynt. Pan fydd amser ac arian yn caniatáu, mae'r cwpl yn bwriadu rhoi to crwm a hwyliau yn lle'r to fflat presennol.

The ground floor is home to a large kitchen with bespoke cupboards that fit the curved walls, and a family bathroom. Up one set of stairs is the lounge, with a bedroom and shower on the floor above. There are two further levels, one of which contains some of the original mill machinery. When time and money allow, the couple intend to replace the existing flat roof with a dome and sails.

Nid gwaith hawdd yw dodrefnu ystafell gron.

It isn't easy furnishing a circular room.

Grisiau troellog modern yn adlewyrchu pensaernïaeth y felin.

A modern spiral staircase reflects the architecture of the mill.

DDE / RIGHT

*Mecanwaith gwreiddiol
y felin yn y brif lofft.*

*The original mill
mechanism looms over
the master bedroom.*

Glan Elwy, Dyffryn Clwyd

Dr Olwen Williams a/and Paul Lloyd

Tu ôl i gynildeb Sioraidd Glan Elwy, a adeiladwyd ym 1789, mae cartref bywiog sy'n adlewyrchu personoliaethau lliwgar y perchnogion. Mae'r fynedfa goeth gyda'i phileri a'i ffenestri yn nodweddiadol o'r cyfnod, ond daw'r holl ffurfioldeb i ben yr ochr bellaf i'r drws panelog.

Hiding behind the restrained Georgian façade at Glan Elwy is a vibrant, almost whimsical, interior that reflects the colourful personalities of its artistic owners. Built in 1789, the house enjoys an elegant entrance with a typical fanlight and pilasters, but the formality stops at the panelled door.

CHWITH / LEFT

Cadeiriau Adirondack o Abergwyngregyn, wedi'u paentio'n las llachar.

Adirondack chairs were made in Abergwyngregyn and have been painted a vibrant blue.

UCHOD / ABOVE

Glan Elwy o'r tu blaen.

Glan Elwy viewed from the front.

CHWITH / LEFT

Brawd Paul Lloyd adeiladodd y gegin sycamorwydden i'r cwpl, a Paul ei hun sy'n gyfrifol am y teils pinc a glas lliwgar. O sgip y daeth y bwrdd a'r cadeiriau retro.

The bespoke kitchen was made by Paul Lloyd's brother in sycamore to the specification of the couple. Paul Lloyd made the vibrant tiles in pink and blue on the splashback. The table and retro dining chairs were rescued from a skip.

UCHOD / ABOVE

Soffa ledr goch yn rhoi ei stamp ar y lolfa sy'n agored i'r gegin.

The living room is open-plan to the kitchen where the red-leather sofa sets the tone for the room.

Un o ddarnau celf niferus Glan Elwy, ond tân trydan o'r 1930au yw'r cwch hwn mewn gwirionedd.

One of the many 'artworks' on display at Glan Elwy, but this boat is actually a functioning electric fire that dates to the 1930s.

Mae tu mewn y tŷ yn fwy art deco na Siôr III, gyda môr o liwiau pinc, oren a glas llachar yn lle'r rhai golau digon di-liw sydd fel arfer mewn tai o'r cyfnod. Nid bod Olwen Williams a Paul Lloyd yn hollol ddi-glem am gynllunio Sioraidd a hwythau wedi prynu llyfr ar y pwnc ar ôl prynu'r tŷ, ond aethant ati i roi eu stamp eu hunain ar y lle mewn dim o dro.

Inside the furnishings are more art deco than George III and brilliant pinks, oranges, and blue replace the drab pastels that are more usually seen in houses of this age. It isn't that Olwen Williams and Paul Lloyd don't know about Georgian design; indeed their first purchase for the house was a book on the subject, but it was only a couple of weeks before it had been thrown out and their own style brought home.

Plac seramig gan Paul Lloyd ar wal y grisiau.

A ceramic plaque by Paul Lloyd sits on the stairwell wall.

Mae serameg Paul Lloyd ar hyd a lled y tŷ.

Paul Lloyd's ceramics can be seen in every room of the house.

Bocs o gondoms 'Cariad' yn atgof o waith Olwen Williams fel cynghorydd iechyd rhywiol. Mae'r geiriau ar y paced yn codi gwên – 'Dwy iaith, dwy waith y pleser'.

A box of 'Cariad' condoms reminds us of Olwen Williams's work as a sexual health consultant. The slogan on the front of the packet reads 'Dwy iaith, dwy waith y pleser' ('Two languages, twice the pleasure').

Pincas coeth yw'r ddoli ddireidus o'r 1920au mewn gwirionedd.

A 1920s 'flapper' doll with a cheeky look on her face is in fact an elaborate pin cushion.

Yn lle cymesuredd Sioraidd y tu allan, cawn gymysgedd o bob lliw a llun gyda darnau celf niferus gan Paul a ffrindiau'r cwpl. Pan fyddant wedi cael digon ar un darn o gelf, maen nhw'n ei ffeirio am un arall gan eu ffrindiau, sy'n golygu bod rhywbeth newydd a diddorol i'w weld yng Nglan Elwy bob amser.

Exterior symmetry has been replaced by a riot of eclecticism on the inside, with artworks produced by Paul and the many friends of the couple. When they get tired of a particular piece they simply swap it with another by a member of their circle, so there is always something new and interesting to see at Glan Elwy.

"Mae'n cartref yn cyfleu hoffter y ddau ohonom ni at bethau esthetig; y grefft o gyfuno'r cyfoes a'r clasurol i greu cartref ymarferol," meddai Olwen.

"Our home is an expression of our mutual love of the aesthetic; the art of combining temporary design with the classical to create a functional living statement," says Olwen.

UCHOD / ABOVE

Mae'r cynllunio dewr i'w weld yn y gerddi hefyd. Mae teils gwyrddlas Paul Lloyd yn rhoi rhyw dinc Morocaidd i'r deildy.

The same brave approach to design seen inside has been applied to the gardens. Turquoise tiles made by Paul Lloyd give a sense of Morocco to the arbour.

CHWITH / LEFT

Olwen Williams

DDE / RIGHT

Er mai copïau o'r cadeiriau Bauhaus gwreiddiol yw'r cadeiriau lledr du, maen nhw'n gwbl gartrefol wrth y ffenestri Sioraidd.

Black leather armchairs are reproductions of Bauhaus originals, yet seem completely at home in front of the Georgian windows.

CHWITH / LEFT

Gyda golygfa fel hon, does dim angen llenni ffansi ar y ffenestri.

The view is so absorbing that there is no need for fancy window dressings.

ISOD / BELOW

Y fynedfa smart i'r fflatiau moethus.

The smart entrance to the mansion flats.

Gunfort Mansions, Dinbych-y-Pysgod / Tenby

Pauline Rowlands

Lle ag iddo dipyn o steil fu Gunfort Mansions erioed – y teras Sioraidd sy'n teyrnasu uwchben Traeth y Castell, Dinbych-y-Pysgod. Cartref i ŵr bonheddig oedd yn wreiddiol cyn i ddatblygwr yn oes Fictoria ei rannu'n fflatiau i fanteisio ar un o olygfeydd gorau Cymru. Mae'r fflat wedi cael bywyd newydd eto gan Pauline Rowlands a'i gŵr, sydd wedi creu cartref coeth sy'n gweddu'n berffaith i'r olygfa odidog.

Mae'r lliwiau syml, sef du, gwyn ac oren yn ymestyn drwy ystafelloedd amrywiol y fflat sy'n cynnwys cyfuniad dewr o gelfi modern a hynafol. Mae unedau lacr du y gegin yn edrych yn gartrefol gyda portreadau Sioraidd mewn fframiau euraidd a bwrdd mahogani o gyfnod y Rhaglywiaeth.

The Georgian terraces overlooking Tenby's Castle Beach have been stylish since the day they were conceived. Built as a gentleman's residence, Gunfort Mansions was soon carved up into apartments by a Victorian developer keen to capitalise on some of the finest views in Wales. The apartment has been overhauled again by Pauline Rowlands and her husband, creating a stylish interior deserving of its marvellous outlook.

A simple colour scheme of black, white, and orange unite the various rooms in the apartment, which contains a brave mix of antique and contemporary furnishings. A sleek black lacquer kitchen looks comfortable among Georgian portraits in gilded frames and a Regency mahogany table.

ISOD / BELOW

Pauline Rowlands yn ymlacio ar falconi sy'n edrych dros y gaer roddodd enw i'w chartref.

Pauline Rowlands relaxing on a balcony overlooking the fort that gave her home its name.

CHWITH / LEFT

Calon yn addurno hen ddrych o Fenis.

An antique Venetian mirror has a romantic heart-shaped motif.

ISOD / BELOW

Mae drych hynafol yn llenwi'r gegin, lle mae hyd yn oed y tegell yn ymdoddi i liwiau'r ystafell.

An antique mirror dominates the kitchen where even the kettle is colour-coordinated to match the interior scheme.

Gyda'r holl ddrychau hynafol ar hyd a lled y fflat, does dim modd osgoi golygfeydd o'r môr.

With antique mirrors dotted around the apartment there is no escaping the views of the sea.

DDE / RIGHT

Llun teuluol a bwrdd o gyfnod y Rhaglywiaeth yn rhannu stafell â soffas lledr modern.

A family portrait and Regency table rub shoulders with contemporary leather sofas.

Er y gwrthdaro rhwng hen a newydd a'r cynllun unlliw, mae llonyddwch braf yn treiddio drwy'r fflat – peth prin mewn cartref teuluol heddiw. Mae gan chwaer Pauline, Linda, fflat lawn mor drawiadol yn yr un adeilad, ac ychydig strydoedd oddi yma, mae'r drydedd chwaer, Jill, yn cynnal y traddodiad teuluol yn ei chartref unigryw hi (tudalen 162).

Despite the clash of the old against the new, and the monochrome palette this apartment exudes a calmness rarely found in family homes today. Pauline's sister Linda has a similarly striking flat in the same mansion block, and just a couple of streets away the third sister, Jill, is maintaining the family tradition with her own unique home (page 162).

DDE / RIGHT

Mae'r ystafell wely'n lle braf i ymlacio a chwympo i gysgu yn sŵn y gwylanod.

The restful bedroom is a peaceful place to relax and fall asleep while listening to the gulls flying overhead.

UCHOD / ABOVE

Er bod golwg Sioraidd i du blaen Ivy House, yn y 1850au y cafodd ei adeiladu mewn gwirionedd, pan ddaeth y rheilffordd i'r dref.

Ivy House has a 'Georgian' style façade but was in fact built as late as the 1850s, when the railway came to town.

DDE / RIGHT

Casgliad o lestri 'spongeware' o'r bedwaredd ganrif ar bymtheg ar resel Gymreig â'i phaent gwreiddiol.

A collection of nineteenth-century spongeware is displayed on a Welsh rack that retains its original paint.

Ivy House, Dyffryn Tywi / Towy Estuary

Tim a/and Betsan Bowen

Betsan a Tim Bowen a'u daeargi, Guinness.

Betsan and Tim Bowen and Guinness the border terrier.

Mae gan Gymru fwy na'i siâr o fewnfudwyr sy'n dianc yma o brysurdeb bywyd Llundain, ond dychwelyd yn ôl i'w gwreiddiau yr oedd Betsan Bowen. Yn enedigol o Gorseinon, ond wedi'i magu ar aelwyd Gymraeg ym mhrifddinas Lloegr, mater o amser oedd hi tan y byddai'n dychwelyd i'r Gorllewin i fyw.

Mae hi a'i gŵr Tim wedi ymgartrefu mewn tŷ o'r 1850au sydd â golygfeydd gwych ar draws yr aber i Lansteffan a'i gastell. Mae bywyd tipyn mwy ling-di-long yma, fel yr awgrymir gan yr arwydd pren syml sydd ar y drws ffrynt – 'Gone to the Beach'.

Mae awyrgylch hamddenol braf y cartref yn adlewyrchu bywyd tawelach y ddau er byn hyn.

Wales has its fair share of incomers escaping the hectic life in London, but when Betsan Bowen came to find her place in the country it was a homecoming. Having been born in Gorseinon but brought up in a Welsh-speaking family in the capital, it was only a matter of time before she decided to go and find her roots in West Wales.

She has settled with husband Tim in an 1850s house that enjoys wonderful open views across the estuary to Llansteffan with its castle. The pace of life has slowed, and now only a simple wooden sign hung on the front door – 'Gone to the Beach' – may greet the unexpected visitor.

The peaceful life that they have found is reflected in the relaxed atmosphere in their home.

Casgliad o hen lwyau
cawl Cymreig ag ôl
traul y blynyddoedd;
o Geredigion y daw'r
rhesel werdd.

A collection of old
Welsh cawl spoons
displays years of wear;
the green-painted rack
is from Ceredigion.

Chwith / Left

Cegin wledig i'r carn.
Llestri 'spongeware'
sydd uwchben y stof.

The kitchen has a
real country feel. The
ceramics above the stove
are spongeware again.

Uchod / Above

Cwilt gwlanen Gymreig 'teiliwr' o'r Drenewydd,
wedi'i wneud o ddarnau o frethyn hen siwtiau. Oddi
tano mae coffr bychan o Sir Benfro o'r ddeunawfed
ganrif. Cynnyrch Crochendy Bwcle yw'r gist o
ddroriau bach o ddiwedd y bedwaredd ganrif ar
bymtheg.

An early Welsh flannel 'tailor's' quilt from Newtown
is made from scraps of old suit fabrics. It is
displayed above an eighteenth-century Pembrokeshire
coffer and the late nineteenth-century miniature
chest of drawers is made by Buckley Pottery.

Mae'r lloriau pren wedi'u paentio, y carpedi clwt a'r cwiltiau Cymreig yn mynnu'ch sylw ymysg un o'r casgliadau gorau o ddodrefn gwledig yng Nghymru. Ar ôl blynyddoedd o brynu a gwerthu henebion Cymreig, doedd gan y cwpl mo'r galon i gael gwared arnynt – felly mae Ivy House yn gartrefol orlawn o drugareddau di-ri.

Yma, mae hen gadeiriau'n eich gwahodd i eistedd arnynt, gwelyau haearn yn eich cymell i orwedd arnynt, a'r gerddi braf yn gofyn i chi gymryd eich gwynt atoch a'u mwynhau.

Painted pine floors, rag rugs, and Welsh quilts vie for attention among one of the best collections of country furniture to be found in Wales. Years of trading in Welsh antiques has left them with many pieces that they simply couldn't bear to sell, and Ivy House has developed a homely clutter that is utterly charming.

In this lovely and leisurely home, old chairs invite you to sit down, iron bedsteads beg you to take an afternoon nap, and the lovely gardens ask you to stop and enjoy them for a while.

Casgliad gwych o ddodrefn gwledig Cymreig yn yr ystafell fwyta, y rhan fwyaf yn perthyn i'r ddeunawfed ganrif. Mae drysau'r cwpwrdd cornel o Sir Gâr ar agor led y pen i ddangos gwaith serameg amrywiol: llestri Delft o Loegr ar y silff uchaf, tseini 'Cambrian' o Abertawe ar y silff ganol, a chasgliad o lestri pridd Bwcle ar y gwaelod.

The dining room has a wonderful collection of Welsh country furniture, mostly dating from the eighteenth century. The Carmarthenshire corner cupboard is shown with its doors open to display the ceramics inside: English Delft on the top shelf and Swansea 'Cambrian' china on the middle shelf, with a collection of Buckley earthenware on the bottom shelf.

Llofft syml, braf. Hen gwilt clytiau crwybr sydd ar y gwely, ac mae'r llawr pîn wedi'i baentio â phlwm coch. Mae'r carped clwt yn un gwreiddiol.

This simple bedroom enjoys a calm atmosphere. An antique 'honeycomb' patchwork quilt is on the bed, and the pine floorboards have been painted 'red lead'. The rag rug is a vintage original.

Little Orchard, Dinas Powys
Margaret Jones

Go gyndyn ar y gorau fuodd Prydain i ddathlu ei threftadaeth bensaernïol ar ôl yr Ail Ryfel Byd, ac mae adeiladau rhestredig diweddar yn brin yng Nghymru. Er hynny, mae'n hawdd gweld pam bod Cadw wedi canu clodydd y tai hyn yn Ninas Powys, Bro Morgannwg, fel 'datblygiad hynod anghyffredin ... enghraifft wych o feddwl pensaernïol hynod o arloesol'.

Britain as a whole has been slow to celebrate its post-war architectural heritage, and Wales in particular has protected very few post-war buildings by granting them 'listed' status. It is easy, however, to see why Cadw has selected this remarkable cul-de-sac in Dinas Powys in the Vale of Glamorgan as a 'highly unusual housing development ... an excellent demonstration of progressive architectural thinking'.

Cynlluniwyd y datblygiad o chwe fila concrid, modernaidd, gan Thomas Glyn Jones a John R Evans, gan ennill clod a bri o'r cychwyn cyntaf – gan gynnwys y fedal aur am bensaernïaeth yn Eisteddfod Genedlaethol Hwlffordd ym 1972.

The development of six concrete modernist villas designed by architects Thomas Glyn Jones and John R Evans attracted awards from the start, and in 1972 the scheme won the gold medal in architecture at the National Eisteddfod of Wales at Haverfordwest.

UCHOD / ABOVE

Cynlluniodd Thomas Glyn Jones y bwrdd yn arbennig ar gyfer yr ystafell hon, ac mae'r cadeiriau gwreiddiol bellach yn glasuron cynllunio.

The dining table was designed especially by Thomas Glyn Jones to fit the space and the original chairs have since become design classics.

CHWITH / LEFT

Cadair cynllunydd arall.

Another designer chair.

DDE / RIGHT

Mae gweadau naturiol yr olwg ar bob wyneb, o'r waliau concrid a adlewyrchai dirwedd garw Cymru yn nhyb Thomas Glyn Jones i'r lamplenni gwydr sy'n adlewyrchu ffurfiau rhisgl coed.

Natural-looking textures are seen on every surface, from the exposed concrete walls that Thomas Glyn Jones believed reflected the rugged Welsh landscape to the pressed-glass lampshades that reflect the form of tree bark.

Wedi'i gynllunio'n feiddgar o fodern, mae Little Orchard yn edrych cystal heddiw er mai campwaith o'r 1960au/1970au ydyw. Adeiladwyd Rhif 6 mor effeithiol gan Thomas Glyn Jones i'w deulu fel nad yw wedi newid fawr ddim. Mae ei weddw Margaret Jones yn dal i fyw yma heddiw.

Mae'r cynllun trawiadol o do fflat a theras gwyn yn union fel ag yr oedd yn y 1970au. Yn fwy na hynny, mae'r dodrefn a'r llcnni gwreiddiol yma o hyd – prawf bod dylunio da yn goroesi holl chwiw ffasiynol gwahanol gyfnodau.

Designed in a bold modern idiom, Little Orchard may have been a 1960s/1970s masterpiece, but it has also stood the test of time. The house that Thomas Glyn Jones built for his family which was so fit for purpose that it remains unaltered to this day and is owned by his widow Margaret Jones.

The breath-taking design, with an unusual roof box and white-painted cantilevered terrace, remains as it was when built in the 1970s. Further, the original decorative scheme, curtains, and furnishings remain unaltered – testament to the fact that good design will outlast the tides of fashion.

Stamp y saithdegau yn y brif lolfa gartrefol, gyda'i nenfydau pîn melynfrown, carpedi trwchus a'r defnyddiau gwreiddiol, a waliau gwydr o boptu'r ystafell. Mae'r piano gwyn yn cael y flaenoriaeth dros y set deledu fach.

Honeyed-pine ceilings, shagpile rugs, and original textiles give a period warmth to the main lounge, which enjoys glass walls on two sides. A white-painted piano takes precedence over the small portable television.

Lle bynnag edrychwch chi, mae'r tŷ yn cofleidio'r olygfa tu allan. Diolch i waith tirlunio gofalus, mae'r coed a'r perthi yn cyfrannu at fodernrwydd y cyfan.

Every view from the house invites in the outside world. Careful landscaping has placed trees and shrubs to form a modern picturesque.

UCHOD / ABOVE

Mae cefn Melin Tresinwen yn dangos y tri tho ar eu gorau, oll yn rhan o draddodiad Sir Benfro. Er bod y ffenestri'n newydd, maen nhw'n adlewyrchu patrwm cyffredin gogledd Sir Benfro.

The rear of Melin Tresinwen reveals the beauty of the three roofs, all traditional to Pembrokeshire. The dormer windows are new but reflect a type common in North Pembrokeshire.

DDE / RIGHT

Lamp olew Fictoraidd mewn ffenestr wedi'i hadfer, sy'n edrych tua'r buarth.

A Victorian oil lamp sits in a restored window overlooking the yard.

Melin Tresinwen, Pencaer

Ed a/and Hedydd Hughes

Ym 1797 yr oedd goresgyniad olaf Cymru, a phe bai'r Ffrancwyr wedi troi eu golygon at bentir creigiog Pen-caer ger Abergwaun efallai y byddent wedi gweld casgliad o adeiladau syml ym Melin Tresinwen. Diolch i'r drefn, llwyddodd Melin Tresinwen (a Chymru) i wrthsefyll y goresgyniad hwn, a'r un mwy diweddar yn sgil twristiaeth.

The last invasion of Wales was in 1797, and had the French looked up to the rocky headland of Pencaer near Fishguard they may have seen a humble collection of buildings at Melin Tresinwen. Fortunately this mill (and Wales) survived the invasion, and also the more recent one of tourism to the area.

UCHOD / ABOVE

Hedydd ac Ed Hughes a'u plant Carys ag Iwan.

Hedydd and Ed Hughes with their children Carys and Iwan.

109

Gyda'i tri tho o dun, llechi a llechi wedi'u growtio, mae Melin Tresinwen yn adrodd hanes tai traddodiadol Sir Benfro. Bythynnod to llechi neu do gwellt oedd y rhan fwyaf ohonynt o'r cychwyn cyntaf. Er mwyn dygymod â stormydd geirwon yr arfordir dros y gaeaf, arferai pobl osod y llechi'n sownd â growt o fortar calch, neu smentio drostyn nhw. Yn yr achos hwn, mae'r prif do wedi'i glymu â weiren bigog a'i growtio i gyd wedyn. Erbyn diwedd y bedwaredd ganrif ar bymtheg, daeth to sinc yn ddewis mwy poblogaidd, rhad ac effeithiol, yn enwedig ar adeiladau fferm neu dros hen do gwellt.

Bellach, mae'r tri tho wedi'u hadfer i'w hen ogoniant gan roi cymeriad arbennig i'r adeiladau.

With its three roofs of tin, slate, and wired grout ('llechi pen growt'), Melin Tresinwen tells the story of the Pembrokeshire vernacular. Most of the cottages of the county enjoyed either slate or thatched roofs from the start. To cope with the winter storms in coastal areas, the slates were often bedded in a grout of lime mortar, or cemented over. In this case, the main roof has literally been tied on with barbed wire, and the whole grouted again. By the late nineteenth century 'tin' sheets (of corrugated iron) were taking over as a cheap and effective alternative, particularly on outbuildings or over old thatch.

A careful restoration at this former mill has preserved all three roofs and gives the collection of buildings great character.

Grisiau brain traddodiadol ar ochr y simnai yn helpu i gadw dŵr o'r to.

Traditional 'crow steps' on the side of the chimney help keep water out of the roof.

Addurn Nadolig cartref yn dymuno 'Cyfarchion yr Ŵyl' i westeion.

A home-made Christmas decoration wishes visitors 'Cyfarchion yr Ŵyl' ('Season's Greetings').

Mae'r teulu wedi llwyddo i gyfuno'r hen a'r newydd yn ofalus ac effeithiol; gyda'r hen ffwrn fara yn cyd-fynd yn dda gyda'r stof llosgi coed.

It is the careful combination of old and new that makes the interior such a success; the old bread oven sits happily next to a modern woodburning stove.

Golau'n llifo drwy ffenestr fach ar y gwely haearn yn un o'r llofftydd tawel. Byddai'r garthen draddodiadol wedi'i chynhyrchu mewn un o sawl melin ar hyd a lled y Gorllewin ar un adeg.

A tiny window lights the iron bedstead in one of the peaceful bedrooms. A traditional 'carthen' blanket would have been made in one of the many West Wales mills.

Cafodd Carys ag Iwan gath yn wobr am orfod newid ysgol pan symudwyd i Dresinwen, ac adeiladodd eu tad dŷ yn y llwyn iddynt.

In return for changing schools when they moved to Tresinwen, Carys and Iwan were rewarded with a cat, and their father built them a treehouse.

Ces dillad o groen crocodeil ffug ger y gwely – ond does gan y teulu ddim bwriad o gwbl i godi pac a symud.

A mock crocodile-skin suitcase sits waiting at the end of the bed, but the Hughes family has no intention of moving anywhere.

"Y bwriad oedd symud ymhellach lan yr arfordir o'n cartref yng Nghroes-goch er mwyn symud i ddalgylch ysgol cyfrwng Cymraeg," meddai Hedydd, "ond dim ond deng milltir aethon ni gan i ni gwympo mewn cariad gydag adfail y felin. Er bod caniatâd cynllunio i addasu'r lle'n bedwar tŷ modern, roedden ni am gadw cymeriad yr hen le."

Llwyddwyd i gadw nodweddion gwreiddiol yr adeiladau fel nenfwd iscl y llawr uchaf, ac mae'r teulu wedi dysgu ymgynefino â'r elfennau hynod hyn. Dyna sy'n ei wneud yn addasiad mor llwyddiannus. Gan mai adeiladwr yw Ed wrth ei alwedigaeth, fe wnaethon nhw'r holl waith eu hunain – gan olygu eu bod yn gallu cadw golwg ar bob manylyn i sicrhau bod popeth yn asio'n berffaith.

"We were intending to move further up the coastline from our base in Croesgoch to get into a catchment area for a Welsh medium school," recalls Hedydd, "but we only got ten miles and fell in love with the ruined mill. There was planning permission for conversion into four modern houses, but we wanted to maintain the integrity of the buildings."

What makes the renovation such a success is that original features such as the low ceilings upstairs have been maintained, and the family has learned to love the eccentricities of their home. Doing all the work themselves – fortunately Ed is a builder – has meant that they could keep a close eye on the small details that go together to make this such a pleasing whole.

DDE / RIGHT

Defnyddiwyd coed o'r hen felin i greu croglofft uwchben y gegin, lle mae Hedydd Hughes yn gwnio'n aml.

Timber from the old mill workings has been salvaged to create a 'croglofft' balcony above the kitchen which Hedydd Hughes uses for sewing.

113

Neuadd Cynhinfa, Dolanog

Emyr a/and Nerys Wyn Jones

Ychydig iawn o dai sydd wedi goroesi fel y rhai olaf o'u bath, ond mae Neuadd Cynhinfa yn enghraifft wych o dechneg adeiladu sydd wedi hen ddiflannu erbyn hyn.

There aren't many homes that can claim to be the last surviving example of their type, but Neuadd Cynhinfa is a sole survivor of a building technique that has long since disappeared.

Mae'r fframwaith derw gyda'i baneli derw yn enghraifft brin iawn o dechneg adeiladu sydd wedi hen ddiflannu o'r tir.

The oak framing with oak infill panels is a very rare survivor of a building technique that has long since disappeared.

Mae'r tŷ derw gwreiddiol yn dyddio o 1507, a'r estyniad carreg yn y pen blaen o 1881.

The original hall house of 1507 is seen in oak, with a later (1881) stone extension projecting to the forefront.

UCHOD / ABOVE

Mae'r cwpl wedi defnyddio pob darn posib o'r coed gwreiddiol, a'r trawstiau derw newydd wedi'u 'sgarffio' atynt a'u gadael yn y golwg fel rhan o waith adfer gonest.

Every possible scrap of the original oak has been saved, and new oak beams 'scarfed' on and left obvious in an honest restoration.

UCHOD / ABOVE

Roedd rhaid ailadeiladu rhai o'r waliau'n llwyr gan ddefnyddio hen dechnegau adeiladu glasdderwen. Yma, mae'r pegiau wedi'u gadael yn amlwg er mwyn eu tynhau wrth i'r fframwaith sychu.

Some walls had to be completely rebuilt using the time-proven techniques of green-oak construction. Here the pegs have been left proud so that they can be tightened as the frame dries out.

Casgliad o luniau'r teulu ar y piano mawr yn yr adain mwy diweddar (1550).

Family photos cluster together on the grand piano in the later (1550) wing.

Er bod tai ffrâm dderw yn weddol gyffredin yng nghanol mwynder Maldwyn (llawer ohonynt yn hynafol iawn hefyd), mae Cynhinfa'n unigryw oherwydd ei baneli derw anghyffredin. Trowch y cloc yn ôl hanner mileniwm – codwyd y tŷ ym 1507 – ac fe welwch chi pam: roedd pren derw da ar gyfer codi neuadd-dai anferthol fel hwn yn brin fel aur. Dim ond pobl gefnog oedd yn gallu cael gafael ar goed o goetiroedd derw ar y pryd, a manteisio ar grefftwyr a allai godi tai o'r fath.

Gan fod y dderwen yn adlewyrchu statws a bri mewn cymdeithas, datblygodd arferiad o or-bwysleisio fframwaith derw tai'r cyfnod.

Montgomeryshire isn't short of remarkable oak-framed houses (and many of them are ancient), but what makes Cynhinfa unique is that it retains an unusual form of oak-panelling. Go back half a millennium – the house was built in 1507 – and you will understand why: good oak, of the type for building massive halls on this scale, was hard to come by. Only the rich had access to managed oak woodlands and the craftsmen who could erect such homes.

In short, the display of oak was a reflection of one's status, and so a fashion developed for having oak-framed houses that were deliberately over-engineered to display the wood.

DDE / RIGHT

Pren derw sydd i'w weld drwyddo draw, fel yn y llofft hon ar y llawr cyntaf. Mae hen siôl Gymreig ar y gwely.

Oak also dominates the interior, as seen here in one of the first-floor bedrooms. An old Welsh shawl is thrown on the bed.

Aeth perchnogion Neuadd Cynhinfa gam ymhellach, gan ddefnyddio derw ar gyfer y paneli hyd yn oed – ac adeiladu cist goffr o gartref i bob pwrpas. Mae enghreifftiau eraill naill ai wedi diflannu am byth neu wedi rhoi plastr yn lle'r paneli, gan olygu mai dim ond y neuadd-dy gwych hwn sy'n cadw'r hen draddodiad yn fyw i'r fath raddau.

Mae'n rhyfeddol meddwl mai adfail i anifeiliaid oedd yma pan ddychwelodd Emyr a Nerys Wyn Jones i fyw i'r ardal. Eu bwriad gwreiddiol oedd dymchwel y lle, a chychwyn o'r newydd. Ond wrth ddechrau dadorchuddio'r waliau gwreiddiol buan y gwelwyd bod yma drysor o dŷ.

Treuliodd y cwpl bum mlynedd hir a blinderus yn byw mewn carafán wrth i'r gwaith adfer anhygoel fynd rhagddo. O'r diwedd, mae'r sgaffaldau wedi mynd, gan adael tŷ sy'n tystio i weledigaeth a dyfalbarhad Emyr a Nerys.

UCHOD / ABOVE

Pentwr o hen lechi yn yr ardd, gan gynnwys darnau o hen le tân cain ar un adeg o bosib.

Old slate stacked in the garden includes fragments that may once have formed part of a decorative fireplace.

DDE / RIGHT

Y tywydd yn dechrau dangos ei ôl ar y drws derw newydd sbon, a'r fasged grog yn drymlwythog o flodau.

A new oak door is gradually weathering alongside a hanging basket that heaves under the weight of its blooms.

DDE / RIGHT

Yr hen ffynnon yw canolbwynt yr ardd yn y clos ger y fynedfa. Mae'r dŵr 30 troedfedd islaw.

The old well is a focal point in the courtyard garden by the entrance. The water is 30 feet down.

At Neuadd Cynhinfa the owners went one step further, and even used oak for the infill panels – essentially, constructing the house like a giant coffered box. Other examples of the type have since disappeared or have had their panels replaced with plaster, and now only this amazing former hall-house retains any sizeable section of this ancient method.

All the more amazing then that this important building was being used only for animals when Emyr and Nerys Wyn Jones came back to live in the area. Their first thought was to demolish the derelict buildings, but once they started work stripping off later wall coverings they realised that a hidden gem stood inside.

They resigned themselves to five hard years living in a caravan while an astounding restoration was undertaken. Fortunately the scaffolding has finally gone, and the house that stands before us is testament to the vision and determination of Emyr and Nerys.

Penarth

Shân James

Mae Penarth wedi bod yn gartref i fyddigions Caerdydd erioed, yn hafan lan môr i fasnachwyr a dynion busnes cefnog, ymhell o fwrlwm y ddinas. Mae'r tai Fictoraidd ac Edwardaidd mawr sydd i'w gweld yn strydoedd y dref yn awgrymu mai tua chanrif yn ôl yr oedd oes aur Penarth.

Ond yn wahanol i sawl tref lan môr arall, mae Penarth yn ffasiynol unwaith eto, gyda llawer o'r adeiladau mawr Fictoraidd wedi'u haddasu'n fflatiau mwy hwylus.

Mae'r cynllunydd cartref Shân James wedi gwneud yn fawr o'i fflat llawr uchaf, gan fanteisio i'r eithaf ar y golygfeydd gwych o Fôr Hafren.

Penarth has long been home to the wealthy of Cardiff – the place where rich merchants and businessmen settled away from the bustle of the city. A glance around its streets of large Victorian and Edwardian homes gives the impression that it had its heyday about a century or so ago.

Unlike many seaside towns, Penarth is fashionable again today, and a number of the impressive Victorian piles have been subdivided into more manageable apartments.

Interior designer Shân James has made the most of her flat at the top of one particular villa, with a designer home that maximises on its impressive views across the Bristol Channel.

UCHOD / ABOVE

Shân James

GYFARWYNEB / OPPOSITE

Papur wal gwyrddlas trawiadol wedi'i brintio â phatrwm cynnil, yn y brif ystafell wely. Mae'r clustogau'n rhoi undod i'r cynllun.

A brave turquoise wallpaper is block-printed with a delicate silhouette motif in the master bedroom. Cushions tie the design together.

Mae un wal ym mhob ystafell yn hoelio'r sylw. Papur wal a ddefnyddir yn y llofftydd; a phaent lliw aubergine sydd yn y gegin.

"Cyfuniad o nodweddion personol yw'r fflat yma," meddai. "Dwi wedi gweithio yn y fasnach ddillad, ac yn teithio llawer; ac mae 'nghartre i'n dod â'r cyfan ynghyd."

Diolch i gynllunio gofalus, mae'r fflat penty'n llawn gofod a golau sydd fel arfer ond i'w cael mewn cartrefi ddwywaith yn fwy.

Dyma'r prawf eithaf i gynllunydd cartref da: mae'r ategolion, y defnyddiau a'r papur wal yn bwysig, ond mae'n llwyddiannus oherwydd fod Shân wedi ystyried pob modfedd sgwâr o'r flat, a sut mae'n gweithio fel lle i fyw ynddo.

Dyma gartref â gweadau di-ri, lle mae cynnyrch sidan, lledr, dur, enamel, a gwlân yn cydfyw'n hapus mewn cyfuniad o'r hen a'r newydd. A'r canlyniad? Fflat sy'n wledd i'r llygaid ac sy'n bleser byw ynddo.

Each room makes a feature of one wall, which becomes a focal point. In the bedrooms it is the wallpaper; in the kitchen it is the aubergine-painted wall.

"The flat is a mix of everything that is personal to me," she says. "I have been involved in the rag trade, and I have travelled a lot; my home brings it all together."

Careful planning has created a feeling of space and light in the penthouse that is usually only enjoyed in homes twice its size.

This is the true test of a good interior designer: the accessories, the textiles, and the wallpapers are important. The apartment is successful because thought has gone into every square inch and how it works as a living space.

It is a home full of textures; silks, leather, stainless steel, enamel, and wool all sit comfortably together in a mix of the traditional and modern. The result is a flat that not only looks nice but also is a pleasure to live in.

UCHOD / **A**BOVE

Unedau cegin claerwyn yn erbyn waliau lliw aubergine tywyll. Mae Shân James yn cymysgu ei lliwiau ei hun.

Stark white kitchen units stand proud of the rich aubergine-coloured walls in the kitchen. Shân James mixes all her own colours.

UCHOD / **A**BOVE

Shân James wrth ei bodd yn cyfuno gweadau gwahanol, hyd yn oed yn y gegin.

Shân James likes to combine textures, even in the kitchen.

Hen ddrych pelydrog yn cyferbynnu gyda chist o ddroriau modern.

A vintage sunray mirror contrasts with a modern chest of drawers.

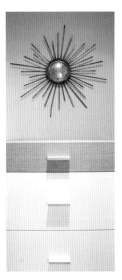

ISOD / BELOW

Daeth y gadair yn yr ystafell wisgo o arwerthiant; ac mae wedi'i gorchuddio â defnydd dramatig sy'n cyfuno chenille a lliain naturiol.

The chair in the dressing area off the master bedroom was a saleroom find; it is covered in a dramatic material combining chenille and natural linen.

UCHOD / ABOVE

Y lolfa'n gymysgedd o liwiau a dodrefn dramatig, hen a newydd. Mae hen blatiau piwter uwchben soffa gyfoes gan Angela Gidden, cynllunydd o Gaerdydd. Mae onglau astrus yr ystafell wedi bod yn dipyn o her.

The lounge is a dramatic mix of rich colours and furnishings, a combination of new and old. Old pewter plates hang above a contemporary sofa by Cardiff designer Angela Gidden. The difficult angles of the room proved to be a challenging project.

Plas Tan-yr-Allt, Tremadog

Michael Bewick a/and Nick Golding

Pan aeth William Alexander Madocks ati i adeiladu Plas Tan-yr-Allt ym 1800, doedd dim byd yn anghyffredin am fonheddwr yn codi plasty newydd iddo'i hun.

When William Alexander Madocks built Plas Tan-yr-Allt in 1800 there was nothing uncommon about a member of the landed gentry building himself a new mansion house.

Cadair freichiau 'Ghost' Philippe Starck ochr yn ochr â chist Gymreig o'r ddeunawfed ganrif yn y cyntedd.

A Philippe Starck 'Ghost' armchair sits alongside an eighteenth-century Welsh mule chest in the hall.

Plas Tan-yr-Allt

CHWITH / LEFT

Edrych tua'r en-suite o'r ystafell wely goch.

Looking through from the red bedroom into the en-suite beyond.

CHWITH / LEFT

Un o naw ystafell ymolchi Plas Tan-yr-Allt.

One of the nine bathrooms in Plas Tan-yr-Allt.

Ond fe aeth gam ymhellach na'i gyfoedion trwy adeiladu tref gyfan iddo'i hun, gyda chapel, ffatri, a thai, a'i henwi'n Dremadog. Cododd ei gartref mewn llecyn lle gallai gadw golwg ar y dref a'r Cob anferthol oedd yn amddiffyn ei dir fferm rhag y môr.

Roedd llewyrch Sioraidd Tan-yr-Allt wedi pylu erbyn i Michael Bewick a Nick Golding ei brynu yn 2002.

Erbyn hyn, maen nhw wedi llwyddo i roi stamp cyfoes ar dy gwledig clasurol. Bu'r gwelliannau'n sylweddol, bellach mae naw stafell ymolchi yn y tŷ, lle bu un.

Yn ôl Michael: "Ym Mhrydain, mae'r tŷ gwledig traddodiadol yn golygu lle cyffordus llawn defnyddiau a gweadau cyfoethog, ond doedden ni ddim am greu cartref hen ffasiwn blodeuog."

Yn hytrach, mae'r cwpl wedi dewis lliwiau llachar gyda chymysgedd dewr o henebion a chynlluniau modern, mewn tŷ cofiadwy a fyddai wrth fodd William Madocks.

He went one stage further than most of his contemporaries when he also built himself a town, with its own church, chapel, 'manufactory', and houses and named the whole Tremadog ('Madock's town'). He carefully placed his new house to overlook his domain and the massive embankment he constructed, now known as the Cob, to protect his farmland from the sea.

Plas Tan-yr-Allt's days of Georgian grandeur had faded by the time it was purchased by Michael Bewick and Nick Golding in 2002.

The revival they have undertaken has been a contemporary take on a classic country house style. The improvements have been substantial; the house which had just a single bathroom now has nine.

As Michael explains: "The classic British country house style means comfort, rich fabrics, and textures, but we didn't want to make it feel old fashioned and chintzy."

Instead the couple have opted for brilliant colours, a brave mix of antiques and clean modern design, and a memorable interior scheme of which William Madocks would have been proud.

Lle tân marmor gwreiddiol o'r Eidal yn adlewyrchu cyfoeth William Madocks. Mae llun gan Helen Steinthal uwchben bocs te bach hyfryd o gyfnod y Rhaglywiaeth, ger casgliad o fodelau esgidiau hynafol a phâr o gŵn Staffordshire.

An original Italian marble fireplace reflects the wealth of William Madocks. A painting by Helen Steinthal hangs above a delightful Regency tea caddy, alongside a collection of antique model shoes and a pair of Staffordshire dogs.

Roedd yr ystafell wely hon yn rhan o theatr y bardd Percy Bysshe Shelley tra'r oedd yn byw ym Mhlas Tan-yr-Allt ym 1812-1813; dyma lle byddai'n darllen ei gerddi i gynulleidfa ddethol.

This bedroom was part of the poet Percy Bysshe Shelley's theatre when he lived at Plas Tan-yr-Allt in 1812-1813; he would recite his poetry in this room to invited audiences.

CHWITH / LEFT

Datganiad o fwriad yw 'Cartref'.

'Cartef' (home) is a statement of intent.

Cadair siglo Tom Vac yn y brif ystafell wely finimalaidd.

A Tom Vac rocking chair sits in the minimalist master bedroom.

Pontcanna, Caerdydd / Cardiff

Dafydd Wyn a/and Helen Davies

Adeiladwyd y tai Fictoraidd gorau yng Nghaerdydd ar Heol yr Eglwys Gadeiriol a'r strydoedd cyfagos; a dweud y gwir, yn yr 1890au, gallech bron iawn â dyfalu incwm y trigolion yn ôl pa mor agos yr oeddynt yn byw i'r ffordd bwysig hon. Mae'r ardal hon yn ymgorfforiad o'r arddull neo-gothig swbwrbaidd a ddaeth â fersiynau tipyn symlach o gynlluniau egsotig William Burges a'i gyfoedion i fywyd y dosbarth canol.

The best Victorian houses in Cardiff were built on Cathedral Road and the surrounding streets; in fact in the 1890s you could virtually classify the income of a resident by their proximity to this important thoroughfare. This area displays the epitome of the suburban neo-gothic style that brought watered-down versions of the exotic designs of William Burges and his contemporaries into middle-class life.

129

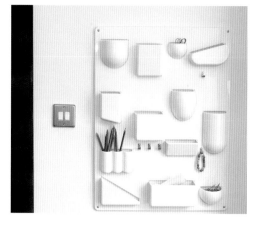

Mae popeth yn wyn yn yr ystafell wely hon, ar wahân i fetel y gwely a rheilen ddillad a wnaed yn arbennig.

Everything is white in this bedroom, relieved only by the metal of the bedstead and bespoke clothes rail.

Taclusydd desg plastig wrth ochr y bwrdd du.

A preformed plastic desk tidy hangs alongside the blackboard.

Roedd tu mewn y tai yn enwog am fod yn dywyll ac fe'u haddurnwyd fel arfer mewn lliwiau moethus a phatrymau cyfoethog ar ddefnyddiau a phapur. Nid felly yn y tŷ sydd wedi'i adnewyddu gan Dafydd Wyn a Helen Davies. Maen nhw wedi penderfynu ar gynllun unlliw. Dylunio cyfoes sy'n mynd â bryd y ddau, ond tydyn nhw ddim wedi mynd dros ben llestri.

Mae'r effaith yn syndod o brydferth ac maen nhw wedi creu undod sy'n gwneud i'r tŷ teras mawr ymddangos yn fwy fyth. Mae'r cynllun dewr yn parhau yn yr ardd. Tybed beth fyddai perchnogion gwreiddiol y tŷ Fictoraidd hwn yn ei wneud o'r cyfan.

Adeiladwyd yr uned ar y wal yn arbennig i gadw casgliad Dafydd o hen gomics a cherddoriaeth. Trwy'r drws, mae'r postyn grisiau mahogani gwreiddiol wedi'i baentio'n wyn i gyd-fynd â'r lliwiau niwtral.

Dafydd Wyn had always wanted a library to house his comics. Now he has one – and he has read every comic.

Llefydd tân modern yn disodli'r rhai Fictoraidd. Mae'r teulu'n defnyddio taflunydd i wylio'r teledu ar frest wen y simnai.

The Victorian fireplaces have been stripped out and replaced with modern alternatives. The family use a projector for watching television on the white-painted chimneybreast.

The interiors were famously dark, and typically furnished in sumptuous colours and with fabrics and papers in the richest patterns. Not so in the house refurbished by Dafydd Wyn and Helen Davies where colour has been banished in favour of a strict monochrome palette. The couple share a passion for contemporary design, although there is little 'design for design's sake' here.

The effect is surprisingly pleasing to the eye, and a sense of unity has been created that makes the already large terraced home feel all the larger. The brave design has been carried through to the garden, which would similarly have shocked the original occupants of this Victorian home.

Mae man eistedd crwn yn yr ardd gyfoes, sy'n torri ar siâp hirgul y plot maestrefol.

The contemporary garden has a circular seating area that breaks the linear form of the suburban plot.

131

Porth y Castell, Minffordd, Penrhyndeudraeth

Dafydd a/and Christine Lewis

Porth y Castell

Byddai'n anfaddeuol paratoi llyfr am gartrefi Cymru, heb gyfeirio at ein pensaer enwocaf ni, Syr Clough Williams-Ellis.

Saif Porth y Castell ar aber afon Dwyryd, llecyn oedd mor agos at ei galon. Gyda'i nodweddion pensaernïol hanesyddol, mae ôl Williams-Ellis yn amlwg ar y tŷ arbennig hwn. Er mai ym 1964 y cafodd ei adeiladu, mae'n ymddangos fel pe bai'n dyddio'n ôl ganrif a hanner ynghynt gyda'i ffenestri Sioraidd, ei risiau trawiadol, a'i le tân marmor. Roedd Williams-Ellis wrth ei fodd yn hel hen drysorau pensaernïol, fel y pentan o'r ddeunawfed ganrif a'r teils du a gwyn yn y cyntedd.

It would have been unforgivable to produce a book on Welsh homes without making reference to Wales's most famous architect, Sir Clough Williams-Ellis.

Porth y Castell sits on the Dwyryd estuary that he loved so dearly and carries his signature style with its pastiche of historical architectural details. Built as late as 1964, it appears to all intents and purposes as if it had been built a century and a half earlier with its 'Georgian' pattern sash windows, sweeping stairwell, and marble open fireplace. Williams-Ellis loved architectural salvage, and it was he who donated the eighteenth-century mantlepiece and the black-and-white tiles that have been used in the hall.

Cadair Fictoraidd yng nghornel y swyddfa, a waliau o ddefnydd brith.

A Victorian tub chair in a corner of a study, whose walls are covered with chequered fabric.

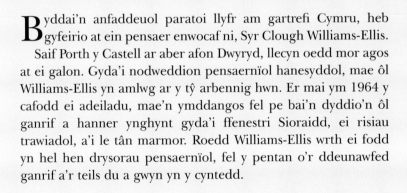

133

Fe welodd Dafydd a Christine Lewis y tŷ arbennig hwn wrth hwylio o Borthmadog i draeth Portmeirion ym 1984, a syrthio dros eu pen a'u clustiau mewn cariad â'r lle. Ar ôl gwneud ychydig o ymholiadau, roeddynt wedi ymgartrefu ym Mhorth y Castell mewn fawr o dro.

Wrth addasu eu cartref, penderfynodd y Lewisiaid ddilyn patrymau pensaernïol difyr Portmeirion, y pentref bach Eidalaidd a grëwyd mor wych gan Clough Williams-Ellis ar arfordir Eryri.

Dafydd and Christine Lewis fell in love with the house after seeing it while sailing from Porthmadog to Portmeirion beach in 1984. A few enquiries informed them that the house could be made available, and before long they found themselves at home in Porth y Castell.

The sense of architectural fun displayed at Portmeirion, the Italianate village created by Clough Williams-Ellis on a peninsula on the coast of Snowdonia, has been continued in the refurbishments carried out by the Lewises.

Mae Christine Lewis wedi rhoi llenni theatrig ar ffenestri'r ystafell fwyta, yn yr estyniad newydd â'i do gwydr.

The extended dining room with its glass-domed roof has been given theatrical window dressings by Christine Lewis.

Ystafell fyw yn y tŵr a gynlluniwyd gan Clough Williams-Ellis. Mae'r drych hynafol yn dangos casgliad o ffigurau cerddorol gan Meissen.

A sitting room in the tower designed by Clough Williams Ellis. The antique mirror displays a collection of musical figures by Meissen.

Defnydd patrwm Paisley ar waliau'r neuadd fwyta, sydd hefyd yn gartref i goffr derw o'r ail ganrif ar bymtheg. Taid Dafydd Lewis oedd biau'r stand wirodydd sydd ar y gist. Mae'r gadair yn perthyn i oes Fictoria.

Paisley-inspired fabric covers the walls in the dining hall which is home to a seventeenth-century carved oak coffer. The tantalus on the chest belonged to Dafydd Lewis's grandfather. The chair is Victorian.

Maen nhw wedi atgynhyrchu hoff batrwm cregyn y pensaer ar fowldin drysau'r estyniad newydd, ac mae llun maint llawn o Pero'r ci yn rhan o gynllun eu cegin newydd.

"Roedden ni'n awyddus i gadw arddull gwreiddiol y tŷ," meddai Christine. "Rhoi sylw i'r manylion lleiaf a allai fod wedi'u hanghofio mor hawdd – dyna sy'n bwysig."

They have reproduced the architect's favourite shell motif to the door mouldings in the extension, and 'Pero' the dog has been painted life-size and incorporated into the design for their new kitchen.

"We wanted to be true to the original style of the house," says Christine. "It is all about the small details that could so easily be overlooked."

Darn bach o'r Eidal yng ngerddi Porth y Castell, wedi'u tirlunio gan Christine Lewis. Cafodd y teils du a gwyn eu prynu'n arbennig i gyd-fynd â steil gwreiddiol y tŷ.

The grounds at Porth y Castell, landscaped by Christine Lewis, capture the spirit of an Italianate terraced garden. The black-and-white tiles were specially sourced to remain true to the original style of the house.

Mae'r teils du a gwyn a roddwyd i'r perchnogion gwreiddiol gan Clough Williams-Ellis yn ychwanegu at naws glasurol y fynedfa. Ar y chwith, mae enghraifft wych o hen ddresel o'r canolbarth a etifeddodd y cwpl wrth brynu crochendy yn y Bermo, ac mae'r grisiau eang ar y dde.

The classical entrance was enhanced by black and white tiles given to the original owners by Clough Williams-Ellis. To the left, there is a fine example of a Mid Wales antique Welsh dresser, inherited by the couple when they bought a pottery in Barmouth, and the sweeping staircase is to the right.

Lluniau'r teulu mewn casgliad o fframiau arian hynafol.

Family photos are housed in a collection of antique silver frames.

137

Project 222, Gorllewin Cymru / West Wales

Bob hyn a hyn, codir tŷ sy'n destun siarad ledled Cymru. Tŷ felly oedd Project 222, a gwblhawyd ym 1998 gan y penseiri Future Systems, ac a enillodd fri byd-eang fel un o dai modern gorau Cymru (a Phrydain).

Dyma fodel ar gyfer dyfodol tai yng Nghymru yn ôl y penseiri, neu dŷ Teletybis yn ôl y trigolion lleol, y math o gartref sy'n herio'ch dealltwriaeth a'ch disgwyliadau chi o dŷ.

Every decade or so a house is built in Wales that is so innovative that it sets the nation talking. Such was the case with Project 222, completed in 1998 by architects Future Systems, and which went on to attract worldwide acclaim as one of Wales's (and Britain's) best modern homes.

Dubbed by architecture critics as a 'blueprint for the future of Welsh housing', and by locals as 'the Teletubby house', this is the kind of home that can challenge how you understand buildings and even what you expect a house to be.

CHWITH / LEFT

Ar yr olwg gyntaf, mae Project 222 yn ymdoddi mor dda i'w gynefin nes ei fod yn anweledig. Does dim gardd na ffens i amharu ar y dirwedd naturiol.

At first glance Project 222 blends so well into its landscape that it is invisible. The surrounding landscape remains untouched, without boundary fence or garden area.

UCHOD / ABOVE

Gyda waliau gwydr y naill ochr a'r llall i'r tŷ, prin ei fod yn breifat – ond gwahodd y byd tu allan i mewn fyddech chi am ei wneud mewn lleoliad mor wych.

There is little privacy in a home that has glass on two opposite walls, but in this amazing location you want to invite in the world outside.

139

Y soffa grwn yn swatio ger simnai lwfer Ffrengig y lle tân a'r olygfa wych yn y cefndir.

The curved sofa huddles around the 'floating' French firehood and the magnificent view behind.

UCHOD / ABOVE

Y brif ystafell wely sydd hefyd yn swyddfa. Cafodd y ddesg a'r silffoedd eu gwneud yn arbennig ar gyfer y tŷ, fel bron popeth arall yn Project 222.

The main bedroom doubles as a study for its owners. The curved desk and bookshelves, like virtually everything else in Project 222, had to be made especially for the house.

DDE / RIGHT

Llawr teils seramig gwyn, fel y rhai a ddefnyddiodd y penseiri yng nghanolfan y wasg maes criced Lord's, Llundain.

The floor is covered with white ceramic tiles, also used by the architects in the celebrated media centre at Lord's cricket ground in London.

Mae Project 222 yn syniad syndod o syml, fel pob cynllun gwych – ffurf organig meddal sydd fel petai'n ymdoddi i dirwedd garw'r arfordir. Mae blodau gwyllt yn tyfu ar do ac ochrau'r gromen, a chlamp o lygad wydr yn edrych tua'r traeth.

Mae dwy ystafell barod, lliw gwyrdd leim, yn rhannu'r tŷ yn ddau. Yn y rhain, mae'r ystafelloedd ymolchi sy'n gwahanu'r llofftydd a'r ystafell fyw agored lle mae lle tân canolog a soffa grom wedi'i chomisiynu'n arbennig.

As with all the best designs, Project 222 is remarkably simple: a soft organic form that appears to melt into its rugged coastal landscape. Both the roof and the sides of the 'dome' have been turfed over with wild flowers, and a huge glass 'eye' overlooks the beach.

Two lime-green prefabricated pods divide the open-plan interior. These contain the bathrooms, and serve to divide the bedrooms from the living space that is dominated by a central fire and specially commissioned curved sofa.

DDE / RIGHT

Ffenestri 'portwll' sy'n rhoi stamp modern ar hen thema forwrol.

The 'porthole' windows are a modern twist on a nautical theme.

Er ei fod o bosib yn cynrychioli'r gorau o ran pensaernïaeth gyfoes yng Nghymru, does dim byd rhwysgfawr ynglŷn â'r cynllun, sy'n rhoi lle canolog a chwbl haeddiannol i'r arfordir o'i gwmpas. Yn Project 222, rydych chi a'r môr, y gwynt a'r clogwyni serth yn un – mae'ch bywyd yn llawn golau, ac mae ymdeimlad cryf o ryddid a gofod di-ben-draw.

This may represent the best contemporary architecture in Wales, but there is nothing ostentatious about the design, which concedes everything to its coastal views. At Project 222 you are at one with the sea and the wind-buffeted cliffs, your life is full of light, and there is an incredible sense of freedom and space.

Uchod / Above

Cerflun o Papua New Guinea sy'n sefyll yn dalog rhwng yr ystafell ymolchi en-suite a'r brif ystafell wely.

A sculpture from Papua New Guinea stands guard by the en-suite bathroom pod from the main bedroom.

Chwith / Left

Rhan o'r 'llygad' wydr sy'n bwrw golwg ar y môr mawr.

Detail of the glass 'eye' that overlooks the ever-changing sea.

Chwith / Left

Mae ffurf naturiol y brif ffenestr yn lleddfu'r gwrthgyferbyniad rhwng y defnyddiau naturiol a'r gwydr diwydiannol.

The organic form of the main window softens the contrast between the natural materials and the industrial glass.

143

Rose Cottage, Silstwn / Gileston

Rhodri Ellis Owen a/and Richard Price

Mae'r enw Rose Cottage yn awgrymu bwthyn rhamantus yn y wlad fel y gwelwch chi ar focs o daffis gwyliau. Mae'r enghraifft hon yr un mor hyfryd. Er y pentan a thrawstiau derw isel o dan y to gwellt, does dim byd rhy siwgwraidd ynglŷn â'r addasiad modern hwn o fwthyn o'r ail ganrif ar bymtheg.

The name Rose Cottage conjures up images of a romantic rural home of the type you might expect to see illustrated on a packet of tourist toffee. This example is also delightfully sweet. It has the obligatory inglenook and low oak beams, and it even sits under a thatched roof, but there is nothing 'twee' about this contemporary refurbishment of a seventeenth-century cottage.

CHWITH / LEFT

Cerflun David *gan Michelangelo yn gwneud lamp 'dros ben llestri' yn y llofft 'Ffrengig'.*

Michelangelo's David *becomes a gloriously camp table lamp in the 'French' bedroom.*

UCHOD / ABOVE

Roedd Rose Cottage ar fin cael ei ddymchwel cyn i Rhodri Ellis Owen a Richard Price ddod i'r fei. Mae rhai o'r cerrig o amgylch y drws ffrynt yn Normanaidd, o faenordy cyfagos o bosib. Mae pileri'r giât ffrynt yn nodweddiadol o Forgannwg.

Rose Cottage was scheduled for demolition before it was rescued by Rhodri Ellis Owen and Richard Price. Some of the stones around the front door are Norman, and may have started life in the nearby manor house. The pillars at the front gate are typical of Glamorganshire.

Richard Price a/and Rhodri Ellis Owen

CHWITH / LEFT

Yr ystafell fwyta werdd o'r ystafell fyw. Llun gan yr arlunydd o'r gogledd, Elfyn Lewis, sydd ar y wal.

Looking through from the sitting room into the green dining room. The painting is by North Wales artist Elfyn Lewis.

Pan brynwyd y tŷ gan Rhodri Ellis Owen a Richard Price roedd yr hen do gwellt wedi mynd â'i ben iddo, doedd dim trydan na dŵr, ac roedd y bwthyn ar fin cael ei ddymchwel i wneud lle i sawl tŷ newydd. Cysylltodd cymydog pryderus â Cadw, a roddodd statws adeilad rhestredig arno ar unwaith i ddiogelu ei ddyfodol. Anodd credu y byddai unrhyw ddatblygwr yn ystyried dymchwel bwthyn mor brydferth, ond mae Silstwn yng nghanol Bro Morgannwg, lle mae gwerth tir ac eiddo gyda'r uchaf yn y wlad.

Ar ôl prosiect adfer enfawr, mae'n braf gweld bod gan y bwthyn gryn werth masnachol bellach, yn ogystal â'r cyfraniad y mae wedi'i wneud i'r pentref.

When Rhodri Ellis Owen and Richard Price bought the house, the straw roof had collapsed, there was no water or electricity, and it was on the verge of being demolished and replaced by a number of new houses. A concerned neighbour contacted Cadw, which put an immediate 'spot-listing' on the building to guarantee its future. It is surprising to think that any developer would consider demolishing a cottage as lovely as this, but Gileston is in the heart of the Vale of Glamorgan, and among some of the most valuable real estate in Wales.

Following a huge restoration project, it is cheering to note that this cottage now not only has substantial commercial worth in itself but adds value to the village as a whole.

CHWITH / LEFT

Bwrdd 'demi lune' Ffrengig wedi'i baentio yn llofft yr haf, ger cadair freichiau Fictoraidd.

A French painted 'demi lune' table in the summer bedroom sits next to a Victorian armchair.

Pentan o ganol yr ail ganrif ar bymtheg. Roedd y gadair freichiau draddodiadol wedi'i gadael ger y lle tân pan brynwyd y bwthyn.

The inglenook dates back to the mid seventeenth century. A traditional armchair had been left by the fireside when the new owners purchased the cottage.

Y tu mewn yn symud tu allan, gyda chadeiriau Philippe Starck ar y patio cefn; gan mai plastig ydynt, gellir eu gadael y tu allan gydol y flwyddyn.

Philippe Starck chairs on the rear patio take the inside out; being made of plastic they can stay outside all year round.

Llofft las a gwyn sy'n cael ei defnyddio yn yr haf. Paentiwyd y darlun o'r môr gan Raul Speek, arlunydd o Giwba sydd wedi ymgartrefu yn Solfach, Sir Benfro.

The white-and-blue bedroom is used in the summer months. The coastal painting is by Raul Speek, a Cuban artist living in Solva, Pembrokeshire.

Mae rhai pobl yn hoffi tai sy'n wyn i gyd, neu rhyw ddwsin o liwiau gwyn gwahanol. Gan amlaf, fe ddywedant wrthych fod hyn yn creu awyrgylch golau braf i ymlacio ynddo. Ond nid Phil Clark. Mae'n *dwlu* ar liwiau, ac yn bachu ar bob cyfle i ychwanegu tipyn o liw i bob twll a chornel o'i gartref ger Aberhonddu. Os yw cartref yn adlewyrchu cymeriad rhywun, yna mae'n amlwg bod Phil Clark yn byw bywyd llawn a lliwgar iawn – ac mae'n gwneud hyn trwy weithio fel cyfarwyddwr celf mewn theatr.

Some people like houses that are all white, or a dozen shades of white. They usually tell you it is because it creates a light, relaxing atmosphere. Phil Clark isn't one of those people, for he *loves* colour and uses every opportunity to add vibrant tints to every square inch of his home near Brecon. If the home reflects the individual, then Phil Clark must lead a colourful life indeed – and this he does as a theatre art director.

Sgubor Penypentre, Bannau Brycheiniog / Brecon Beacons

Phil Clark

CHWITH / LEFT

Pwll nofio ysblennydd o fewn tafliad carreg i batio'r gegin.

A luxurious pool is just a few steps from the kitchen patio.

DDE / RIGHT

Phil Clark

149

Sgrîn yn llawn hen luniau a dynnwyd gan daid Phil Clark, sef y ffotograffydd cyntaf i agor ei siop ei hun yn Aberhonddu. Lluniau o bobl y fro yw'r cwbl.

A screen is covered with old photographs taken by Phil Clark's grandfather who was the first photographer to set up shop in Brecon; all the portraits are of local people.

Llofft Phil Clark yn fôr o liwiau cyfoethog, gyda charthen Melin Tregwynt ar y gwely. Defnyddiodd Phil ddeunyddiau Kaffe Fassett i wneud y groglen uwchben y gwely.

Phil Clark's bedroom is brought to life by rich colours, with a Melin Tregwynt blanket on the bed. He made the hanging over the bed using Kaffe Fassett fabrics.

Mae Sgubor Penypentre yn rhan o glwstwr o hen adeiladau fferm wedi'u haddasu, pob un yn wynebu oddi wrth ei gilydd. Felly, er bod gan Phil gymdogion gerllaw, mae ei gartref agored braf yn edrych allan ar y wlad drwy ffenestri enfawr.

Sgubor Penypentre is part of a courtyard of cleverly converted former agricultural buildings, each facing out and away from each other. So, although Phil has neighbours close at hand, his spacious home feels open to the distant views that are enjoyed through its acres of glass.

Tebotau di-ri yn y gegin liwgar.

There is a choice of teapot in the brilliantly-coloured kitchen.

Tŷ wyneb i waered ydi o, gyda'r brif ystafell fyw ar y llawr cyntaf yn edrych ar y byd tu allan trwy wal wydr anferthol. Lawr grisiau wedyn, mae'r ystafell ymolchi, y gegin a'r llofftydd lliwgar, a'r patio braf sy'n arwain i'r pwll nofio. "Mae'n gartref clyd iawn," meddai Phil. "Yn lle gwych i'r ysbryd, y corff a'r meddwl."

The house is 'upside down' in that the main living space is to be found on the first storey, where a huge wall of glass brings in the outside world. Downstairs are the colourful bathroom, bedrooms, and kitchen, and a wonderful patio that leads down to the pool. "The house is very comfortable," says Phil. "It allows for growth of spirit, body, and imagination."

Torlun leino Peter Paul Piech o'r 1960au gyda dyfyniad enwog Saunders Lewis: 'There is no hope for Wales until a generation arises that knows its own past.'

A Peter Paul Piech linocut from the 1960s carries a Saunders Lewis quote: 'There is no hope for Wales until a generation arises that knows its own past.'

'Sdim syndod fod Phil yn hoff o waith lliwgar Clarice Cliff, y cynllunydd serameg o'r 1930au. Maent fel petaent wedi'u cynllunio'n unswydd ar gyfer cartref Phil.

It is no surprise that Phil Clark loves the vibrant designs of 1930s ceramic designer Clarice Cliff. They could have been made with this home in mind.

Mae lolfa'n mynd o un pen o'r hen sgubor i'r llall. Mae darnau o waith celf yn llenwi'r muriau, llawer ohonynt yn dirluniau gan Phil Clark.

The lounge runs the length of the former barn. Every available surface is covered in artwork, many of the landscapes by Phil Clark.

Neuadd Eglwys St Stephen / St Stephen's Church Hall, Bae Caerdydd / Cardiff Bay

Dylan Griffith

CHWITH / LEFT

Mae Dylan wedi gadael yr hen ddrysau fel yr oeddynt, gan ei fod yn hoffi'r ôl traul sydd arnynt.

Dylan Griffith deliberately left the doors in their original distressed paint surface as he loved their battered colouring.

DDE / RIGHT

Saif Neuadd Eglwys St Stephen yng nghysgod sawl warws segur yn hen ardal y dociau.

St Stephen's Church Hall sits in the shadow of former dockland warehouses.

Gyda fflatiau yn cael eu codi ym mhob twll a chornel ym Mae Caerdydd y dyddiau hyn, mae'n braf gweld bod rhywun yn troi'r tresi, ac wedi mynd ati i greu campwaith o un o adeiladau gwreiddiol brics boch yr ardal.

You can't move for new apartment blocks in Cardiff Bay these days, so it is refreshing to find someone who is bucking the trend of new-build and making something wonderful of the red-brick architecture that is already found there.

UCHOD / ABOVE

Hen arwydd neon o Glwb y Cameo yn atgof o glwb
ffasiynol cyfryngol y brifddinas ym Mhontcanna.

A former illuminated sign from the Cameo Club
reminds visitors of the fashionable media club in
Pontcanna, Cardiff.

UCHOD AR Y DDE / ABOVE RIGHT

Edrych tua'r gegin o'r lle parcio; cadeiriau gan Ray
a Charles Eames gerllaw clasuron cynllunio eraill
gan Robin Day.

Looking into the kitchen from the glazed parking
bay; chairs by Ray and Charles Eames sit alongside
other design classics by Robin Day.

Prynodd Dylan Griffith Neuadd Eglwys St Stephen yn y flwyddyn 2000 ar ôl syrthio mewn cariad â'r syniad o fwrw gwreiddiau yno. Gan nad oedd unrhyw nodweddion pensaernïol diddorol ar ôl y tu mewn i'r adeilad, doedd dim angen i Dylan deimlo'n euog ynglŷn â dymchwel yr ystafelloedd bychain niferus i greu un ystafell fawr, agored.

Dylan Griffith bought St Stephen's Church Hall in 2000 after falling in love with the potential that it offered for creating a personal space. The fact that there was nothing of any architectural interest surviving inside meant that he didn't have to feel guilty in knocking a myriad of small rooms into open-plan living.

DDE / RIGHT

Y gegin wen a dur a'r grisiau tro galfanedig yn rhoi naws gwrywaidd, syml i'r neuadd.

The stainless steel and white kitchen gives a simple masculine air that is reinforced by the galvanised spiral staircase.

Dde / Right

Soffa enfawr gan y cynllunydd o Gymru, Angela Gidden, a wnaed yn wreiddiol ar gyfer sioe siarad ar y teledu.

The oversized sofa by Welsh designer Angela Gidden was originally made for a television chat show.

Chwith / Left

Etifeddwyd yr hen biano am ddim gyda'r neuadd. Mae'r unedau dur ar olwynion, a gellir eu symud i newid maint y swyddfa fel bo'r angen.

The old piano came free with the church hall. The steel display units are on castors and can be moved about to change the configuration of the study area at will.

Yn hytrach na dilyn y dorf wrth addasu hen gapel neu eglwys, a llenwi'r lle â bwâu gothig blith draphlith a defnyddio darnau o'r deunyddiau gwreiddiol, cymerodd Dylan y cam dewr o ddechrau o'r dechrau eto i greu aelwyd anhygoel gyda 'waw ffactor' fyddai'n gweddu i'r dim i Efrog Newydd.

Rather than opting for the usual kind of church or chapel conversion that is full of pastiche gothic arches and re-used fixtures and fittings, Dylan has bravely opted to gut the interior and create a breathtaking apartment with all the 'wow factor' of a New York loft apartment.

Dde / Right

Ryg lledr, anrheg gwyliau o Chamonix, yn ychwanegu rhywfaint o foethusrwydd i'r brif lolfa. Yn y cefn mae darn o ddeunydd o'r 1960au, a achubwyd o set rhaglen deledu a gyfarwyddwyd gan Dylan Griffith. O Ddenmarc y daw'r stof llosgi coed.

A cowhide rug from a holiday in Chamonix adds comfort to the main lounge. A 1960s fabric hangs to the rear and was saved from a television shoot directed by Dylan Griffith. The woodburning stove is Danish.

Mae'r brif ystafell wely'n agored o bob cwr, gyda'r nenfwd pîn gwreiddiol uwchben. Mae paentiad o neuadd yr eglwys gan Mark Cadwallader ochr yn ochr ag ewffoniwm Dylan Griffith pan yn blentyn, a chadair o'r 1960au a brynodd ei rieni ar achlysur eu priodas.

The main loft bedroom is open on all sides and up to the original pine-clad ceiling. A painting of the church hall by Mark Cadwallader sits alongside Dylan Griffith's childhood euphonium and a 1960s chair bought by his parents when they married.

Coedredyn Awstralaidd yn cysgodi rhwng neuadd yr eglwys a'r warws yn y cefn; a chadeiriau glöyn byw yn cwblhau'r darlun.

Australian tree ferns enjoy the shade between the church hall and the warehouses behind; butterfly chairs complete the scene.

Mae'r cynllun clyfar yn un syml dros ben. Mae rhan helaeth o'r adeilad wedi'i neilltuo i'r lolfa a'r mannau gweithio, gyda phrif ystafell wely enfawr yn 'hofran' uwchben. Yn lle gosod y llofft ar ymyl y neuadd fel llawr mezzanine, penderfynodd Dylan ei osod ar lwyfan canolog nad yw'n cyffwrdd â'r waliau allanol. Mae hyn yn gadael i'r golau o'r ffenestri gwreiddiol mawr lifo i mewn i'r adeilad, ac yn diffinio ffiniau'r lolfa fawr – sydd eto'n ddigon cysurus i gael sgwrs dros baned.

The clever design is remarkably simple. The largest spaces are given over to the areas where most of the day is spent (the lounge and work areas), and a huge master bedroom 'floats' above. Instead of fixing this loft to the edge of the hall like a mezzanine floor, Dylan decided to have it supported as a central platform that doesn't touch the exterior walls. This allows for the light from the huge original windows to flood the building, and defines the lounge area, which is cosy enough for intimate conversation.

Dde / Right

Yr hen glustogau gweddïo gwreiddiol sydd bellach yn ddefnyddiol i eistedd ger y tân. Daeth yr hen lythrennau pren o siop drydan yng Nghaerdydd.

A few of the original prayer cushions are now useful for sitting around the fire. The old wooden letters were salvaged from an electrical shop in Cardiff.

Stryd Fawr / High Street, Dinbych-y-Pysgod / Tenby

Jill Rowlands

Er mai cyfnod y Rhaglywiaeth oedd oes aur Dinbych-y-Pysgod, yn ystod Oes Fictoria yr adeiladwyd fflat Jill Rowlands uwchben siop ar Stryd Fawr y dref. Ond fel y tai teras enwog uwchlaw Traeth y Gogledd, mae cartref Jill yn llawn nenfydau uchel, ystafelloedd eang braf a ffenestri sy'n edrych tua'r môr. Mae golau arbennig Sir Benfro yn llifo i mewn drwy'r ffenestri mawr, gan ychwanegu at wynder clasurol yr ystafelloedd.

Tenby may have had its heyday in the Regency period, but it wasn't until the Victorian era that Jill Rowlands's apartment was built above a shop on High Street. However, in common with the famous Regency terraces above North Beach, this delightful home enjoys high ceilings, spacious rooms, and wonderful bay windows overlooking the sea. The Pembrokeshire light floods in through these floor-to-ceiling windows, accentuating the classic white décor.

CHWITH / LEFT

Tra bod y rhan fwyaf ohonom yn gorfod bodloni ar eistedd ar feinciau cyhoeddus i fwynhau'r olygfa odidog o harbwr Dinbych-y-Pysgod, mae Jill Rowlands ar ben ei digon gyda'r olygfa o'r traeth a'r orsaf bad achub enwog o'i chartref.

Most of us have to sit on public benches to enjoy such a fine view over Tenby harbour, but Jill Rowlands is spoiled by this magnificent sight over the beach and the famous lifeboat station.

DDE / RIGHT

Gyda golygfeydd mor wych â hyn, pwy sy'n poeni am fyw uwchben siop.

Living above the shop is no hardship with views as fine as these.

Nid lle tân marmor Fictoraidd gwreiddiol y fflat yw hwn – daeth o un o dai eraill y dref. Roedd rhaid i wyth dyn ei gario'n un darn i fyny'r grisiau i'r fflat.

The Victorian marble fireplace looks like it is original to the room, but in fact it was reclaimed from another house in Tenby. It took eight men to carry it in one piece up the stairs to the apartment.

Ystafell fyw hollol wyn i ddal y golau naturiol. Yr unig liw arall yw'r holl lyfrau o ddyddiau dysgu Jill Rowlands. Prynwyd y siandelïer mewn marchnad yn Llundain.

The sitting room is painted white to reflect the light. Yards of books reflect Jill Rowlands's career in teaching, and provide the only colour in the room. The chandelier was discovered in a market in London.

Mae'r cyffyrddiadau bach benywaidd fel y goleuadau bach, blodau a phlu yn wrthgyferbyniad llwyr i'r holl lyfrau sy'n meddiannu'r ystafell fyw. Ac mae adlais o Baris yn y balconi syml a'r bwrdd brecwast haearn.

'Gwireddu breuddwyd yw byw fan hyn. Wy'n ymlacio'n llwyr bob tro rwy'n agor y drws ffrynt … ac mae'r olygfa'n newid bob dydd', meddai Jill, a ddaeth i Ddinbych-y-Pysgod ar ôl ymddeol fel dirprwy-bennaeth coleg addysg bellach. Er nad oes dim rhy ddisgybledig ynglŷn â'i chartref, mae iddo goethder cysurus â thinc personol.

Fairy lights, flowers, and feathers add a whimsical feminine touch that contrasts with the yards of books lining the sitting room. A simple balcony with cast-iron breakfast table adds to the Parisian feeling of this seaside home.

'It is a dream come true to live here. I just feel so relaxed every time I open the front door … and the view changes every day', says Jill, who retired to Tenby after working as a further education college vice-principal. There is nothing too disciplined about this home, however, which retains a casual elegance with an individual touch.

UCHOD / ABOVE

Y lle perffaith i gael brecwast.

The balcony is the perfect place to enjoy breakfast.

Cerfluniau clasurol yn ychwanegu rhywfaint o hiwmor.

Classical statues add a touch of humour to the outside area.

Trebanws, Cwm Tawe

Betsan Rees

Tegan Star Wars yn gwarchod pouffe croen llewpart ffug.

A toy 'stormtrooper' from Star Wars guards a fake leopard-skin pouffe.

Cymylau ffantasïol sy'n eich cymell i freuddwydio yn yr ystafell hon. Mae gwn tegan wrth erchwyn y gwely rhag ofn i ymwelwyr o'r gofod ymosod liw nos. Mae Betsan wedi creu siandelïer o fag plastig tan y bydd hi'n gallu fforddio un go iawn!

Sweet dreams are guaranteed in this fantasy cloud room. A toy ray-gun hangs in a holster at the end of the bed in case aliens attack in the night. The novel 'chandelier' is in fact a plastic carrier bag waiting until Betsan Rees can afford the real thing.

Cofiwch sychu'ch traed ar y ryg siâp calon cyn camu ar lawr gwyn y llofft.

Wipe your feet on the heart-shaped rug as you enter the white-painted floors of the bedroom.

Gyda chynllunwyr heddiw yn rhoi cymaint o fri ar arddull wrywaidd moderniaeth, mae Betsan Rees wedi creu cartref unigryw mor ferchetaidd â doli Barbie. Mae'n anodd peidio gwenu wrth gerdded o amgylch tŷ llawn goleuadau mân, clustogau pinc siâp calon a delweddau Playboy. Mae'n amlwg bod Betsan wedi cael hwyl wrth roi ei stamp bersonol ar dŷ teras digon cyffredin.

In a refreshing change to the masculine lines of modernism that pervade contemporary design today, Betsan Rees has produced a distinctive home style that is as girly as Barbie. You cannot help but smile as you walk around her Swansea valley home with its fairy lights, pink heart-shaped cushions, and Playboy motifs. Somebody has obviously enjoyed the process of individualising this ordinary terraced house.

Mae Betsan Rees yn falch o ddisgrifio'i hun fel 'bachelorette'.

Betsan Rees is happy to be described as a 'bachelorette'.

CHWITH / LEFT

Mae golchi llestri'n bleser pur mewn powlen binc siâp calon.

Washing up is a joy when the bowl is a pink-shaped heart.

CHWITH / LEFT

Lamp 'draenog' yn harddu bwrdd yr ystafell fwyta soffistigedig.

A 'hedgehog' lamp adorns the table in the sophisticated dining room.

"Dwi ddim yn credu y dyle pobl fod yn or-ddifrifol wrth gynllunio," meddai Betsan, sy'n gweithio fel steilydd. "A dweud y gwir, mae'r rhan fwyaf o bobl wedi anghofio sut i gael hwyl gyda'u tai."

Nid felly mae hi yma. Er nad yw'r waliau a'r pren siwgwrllyd o binc at ddant pawb, mae'n arbennig o addas yma, lle mae'r tu mewn fel estyniad o gymeriad unigryw Betsan.

Nid ceisio bod yn ffasiynol yw'r nod. Mae'r tŷ yn gweiddi *Betsan* o'r top i'r gwaelod, yn gwbl ddiymdrech, ac yn hynny o beth mae'n llwyddiant ysgubol!

"I don't think people should take design too seriously," says Betsan, who is herself a stylist. "In fact, most people have forgotten how to have fun with their homes."

That certainly isn't the case here. The house with its candy pink walls and baby-pink woodwork won't be to everyone's taste, but that is just the point at Trebanos, where the interior scheme can be seen as an extension of its owner's personality.

This house isn't trying to be fashionable – or indeed stylish. Without even trying it is completely *Betsan*, and in that it is an unmitigated success!

Goleuadau bach pert, pinc, ar gadair cegin wen yng nghornel y llofft.

Pink fairy lights sit on a white-painted kitchen chair in the corner of the bedroom.

Llun o Betsan Rees yn rhoi sws i Peter Stringfellow, ochr yn ochr â gwydrau fodca ger y gwely.

A framed photograph of Betsan Rees kissing Peter Stringfellow sits by the side of the bed alongside two vodka shot glasses.

Trefan Morys, Llanystumdwy

Jan ac/and Elizabeth Morris

Mae'r awdur Jan Morris wedi teithio'r moroedd mawr i bedwar ban byd, ond fel y dywed yr hen air, does unman yn debyg i gartref.

Hen stabl o'r ddeunawfed ganrif yw cartre'r Morrisiaid, yn perthyn i gyn-gartre'r teulu. Mae'n gweld yr adeilad syml hwn fel adlewyrchiad ohoni hi a'i bywyd, ac yn ymgorfforiad o Gymru hefyd. Mae Trefan Morys yn llawn o'r pethau sy'n bwysig iddi: y bobl mae'n eu caru, ei phlant, ei hanifeiliaid a'i gwaith.

The writer Jan Morris has travelled the world and the seven seas, but as the old adage goes, there's nowhere quite like home.

Home for the Morrises is the converted eighteenth-century stable block of her former family home. She regards this modest building not only as a reflection of herself and her life, but also as epitomizing Wales. Trefan Morys is the place she associates with the important things in her life: the people she loves, her children, her animals, and her work.

UCHOD / ABOVE

Jan Morris

GYFERBYN AR Y CHWITH / OPPOSITE LEFT

Preswylwyr blaenorol y stablau ar gof a chadw, gyda neges arbennig ar y gwydr: 'Er Cof am y Tylluanod 1978'.

Previous residents of the stables are remembered in an engraved pane in this window that reads 'Er Cof am y Tylluanod 1978' ('In Memory of the Owls 1978').

GYFERBYN AR Y DDE / OPPOSITE RIGHT

Mae erial teledu'n cuddio tu ôl i'r ciwpola. Mae'r llythrennau 'JM' ar y ceiliog gwynt, ac mae hanner pwyntiau'r cwmpawd yn Gymraeg a'r hanner arall yn Saesneg.

The cupola hides a television aerial. 'JM' are the initials on the weather vane, and the points of the compass are marked half in Welsh, half in English.

"Wrth agor y drws, yr hyn sydd i'w weld yw cegin sy'n Gymreig i'r carn, gyda'r llawr llechi lleol a'r dresel dal sy'n llawn dop o lestri Cymreig."

"When we open the door, the kitchen does look inalienably Welsh, because its floor is of big Welsh slate slabs, and it is dominated by a high Welsh dresser loaded with Welsh crockery."

Cadair eisteddfod Cefn-y-waun yn dal y golau drwy ffenestr y stydi. "Dwi'n chwerthin pan fo pobl yn gofyn os mai fi enillodd hi," meddai Jan Morris, "er bod y geiriau a naddwyd arni'n dangos yn glir iddi gael ei hennill ym 1912."

The Eisteddfod chair from Cefnywaen catches light coming in through the study window. "Visitors often ask me if I won it myself, and I am properly flattered," says Jan Morris, "but it is really a backhanded sort of compliment, for as the carved letters on the chair clearly tell us, the prize was awarded in 1912."

Ffyn cerdded ac ymbarelau ger y ddrws ffrynt.

Walking sticks and umbrellas by the front door.

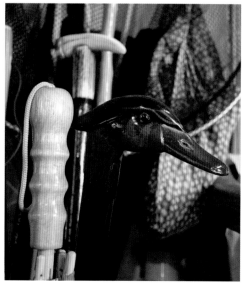

EISTEDDFOL CADEIRIOL CEFNYWAEN 1912

"Dyma lle'r oedd y ceffylau a'r gweision yn arfer bod, a gallwch deimlo eu presenoldeb yn y coed a'r cerrig o hyd," meddai Jan am yr adeilad sydd wedi bod yn gartref iddi hi a'i chymar Elizabeth ers deng mlynedd ar hugain. Yn ystod y tri degawd hwnnw, mae wedi cyhoeddi rhyw 20 o lyfrau ac mae miloedd mwy yn llenwi silffoedd y llyfrgell llawr isaf.

"The horses and the stable hands used to be housed here and you can still feel their presence in the wood and the stone," says Jan about the building that she has shared with partner Elizabeth for the past thirty years. Those three decades have seen the publication of around 20 books, and many thousands more can be seen lining the walls of the downstairs library.

DDE / RIGHT

Mae modelau o longau, a gomisiynwyd gan Jan Morris, yn hwylio ar drawstiau'r stydi. Adeiladwyd y llong dau fast Edward Windus – sydd yn y tu blaen – ym Morth-y-gest ym 1864, ac fe'i collwyd mewn gwrthdrawiad â llong stemar o Siapan yn Beachy Head ym 1904. Un arall o longau Borth-y-gest oedd Sarah Evans – yn y cefn – a adeiladwyd ym 1877, a longddrylliwyd i'r gogledd o Land's End ym 1932.

Models of ships, commissioned by Jan Morris, sail on the roof trusses of the study. The two-master Edward Windus – seen in the foreground – was built in 1864 at Borth-y-Gest and was lost in a collision with a Japanese steamer off Beachy Head in 1904. The Sarah Evans – seen behind – was also built at Borth-y-Gest, in 1877, and was shipwrecked north of Land's End in 1932.

Mae'r tŷ hir wedi'i rannu'n ddau ran amlwg, sef lle i weithio a lle i fyw.

"Os yw'r gegin yn cynrychioli Cymreictod oesol Trefan Morys, yn frith o hanes ac wedi'i selio'n gadarn gan y muriau a'r arogleuon, yna mae rhan arall y tŷ'n cynrychioli fy nghyfraniad i at gymeriad y lle – fy mhatina i, fel petai."

Mae'n meddwl y byd o'i chartref, cymaint nes ei bod wedi ysgrifennu llyfr amdano – *A Writer's House in Wales* – ac mae'n bwriadu aros yma am byth. Mae ei charreg fedd eisoes wedi'i naddu ac yn barod i'w gosod ar ynysig fechan yn yr afon ger y tŷ. Hi ysgrifennodd y neges arni: 'Yma mae dwy ffrind / Jan & Elizabeth Morris / Ar derfyn un bywyd'

The long house is split into two distinct areas, a work 'module' and a 'living' area.

"If the kitchen complex represents the unchanging Welshness of Trefan Morys, bequeathed by history and sealed by its stones and vapours, the other part of the house represents my own contribution to its character – my patina, as it were."

She is so deeply attached to her home that she has written a book about it – *A Writer's House in Wales* – and she plans never to leave. Her gravestone has already been carved and is ready to be erected on an islet on the river by the house. She wrote the inscription: 'Yma mae dwy ffrind / Jan & Elizabeth Morris / Ar derfyn un bywyd' ('Here are two friends / Jan & Elizabeth Morris / At the end of one life').

CHWITH / LEFT

Llyfrau di-ben-draw yn y llyfrgell 40 troedfedd â llawr teils leino.

The 40-feet library is lined with books and has a lino tile floor.

DDE / RIGHT

Cadwyd y nodweddion pensaernïol gwreiddiol, fel y drws hwn i lofft stabl y gweision ers talwm.

Architectural features have been left intact, such as this door up to the loft where the farmhands used to sleep.

Bollten bren sy'n gyffredin iawn ar adeiladau fferm Cymru.

A wooden sliding bolt of a type commonly seen on Welsh farm buildings.

Jaguar Maiaidd o Fecsico oedd yn anrheg gan ei mab Twm Morys a'i wraig Sioned.

A stylized Mayan jaguar from Mexico, brought home by her son Twm Morys and his wife Sioned.

Uchod / Above

Ffenestr o'r bedwaredd ganrif ar bymtheg yn wrthgyferbyniad lliwgar, a'r sil ffenestr garreg wedi'i phaentio'r un fath.

A nineteenth-century window has been picked out in contrasting colours, and the stone sill painted to match.

Chwith / Left

Trwch o galch a sment wedi crynhoi dros amser ar y to, fel eisin ar gacen briodas.

Detail of the grouted roof that has built up such a depth of lime and cement that it looks almost like an iced wedding cake.

Treleddyd Fawr, Tyddewi / St Davids

Glyn Griffiths

Mae ambell dŷ'n rhan annatod o'i gynefin ac yn dod yn rhan o dirwedd eu bro. Lle felly yw Treleddyd Fawr, sy'n sefyll ar bentir gwyntog ger Tyddewi. Dyma dŷ traddodiadol Sir Benfro o'r iawn ryw, gyda'i do o lechi bach lleol wedi'u growtio, hongliad o le tân, a chyntedd mawr i gysgodi ymwelwyr rhag gwyntoedd geirwon y gaeaf. Y tu mewn, mae'n gartrefol, gwledig, a di-lol.

Some houses are so bound up with their locality that they form a part of their local landscape. Such is the case at Treleddyd Fawr, sitting on a windswept headland near St Davids in Pembrokeshire. Treleddyd *is* the Pembrokeshire vernacular style, with its grouted roof of small local slates, huge inglenook fireplace, and an oversized porch that protects the visitor from the gales that lash the headland in winter. Inside is a genuine country style, completely unselfconscious, and without a whiff of pretension.

UCHOD / ABOVE

Glyn Griffiths a'i gath Ebrill.

Glyn Griffiths and his cat Ebrill (April).

UCHOD / ABOVE

Treleddyd Fawr, enghraifft berffaith o dŷ traddodiadol Sir Benfro. Mae cyntedd carreg mawr yn cysgodi'r drws ffrynt isel rhag y tywydd tymhestlog, a chanrifoedd o wyngalch yn gorchuddio'r waliau.

Treleddyd Fawr is a lesson in the Pembrokeshire vernacular style. A large stone porch keeps the weather away from the low front door, and the whole is encrusted in centuries of limewash.

DDE / RIGHT

Y grisiau serth, gwreiddiol, i'r llawr cyntaf. Mae postyn a chanllaw'r grisiau wedi'u gorchuddio â phapur wal.

The original steep stairs climb sharply up to the first floor. The newel post and banister have been papered over.

CHWITH / LEFT

Mae'r parlwr yn cynnwys cofroddion pren o gyfnod pa fu Glyn Griffiths yn gweithio'n Affrica. Ar ôl gweld y byd, penderfynodd ddychwelyd i fyw'r bywyd syml yn Nhreleddyd Fawr.

A collection of ornaments in the parlour include some wooden souvenirs from Glyn Griffiths's time working in Africa. Having seen the world he decided to return home to Treleddyd Fawr and a simple way of life.

Hen bedolau uwchben y lluniau wedi'u fframio yn y gegin gefn.

Old horseshoes hang above framed photographs in the lean-to rear kitchen.

Blynyddoedd o bapurau wal yn y gegin fawr. Mae clamp o drawst uwchben y lle tân yn cuddio dan bapur wal o'r 1970au.

Years of wallpaper have built up in the 'cegin fawr' in true Welsh country style. A huge beam above the inglenook is hidden by the 1970s paper.

Mae Treleddyd Fawr yn drysor cenedlaethol, ac wedi'i gadw fel ag yr oedd yn wreiddiol gan y perchennog Glyn Griffiths, sydd wedi byw yma ers y 1930au.

"Mae pobl o Lunden yn dod yma'n aml i ofyn os allen nhw brynu'r lle fel tŷ haf," meddai, "rhai'n dychwelyd dair neu bedair gwaith i geisio dwyn perswâd arna' i ... bob amser yn cynnig mwy o arian, ond wy'n gweud 'tho nhw ble i fynd. Y 'ngartre i yw hwn, a fydden i ddim yn gwerthu am filiwn o bunne hyd yn o'd!"

Mae Cymru ar ei hennill, diolch i'r ffaith bod Glyn yn mynnu aros yn ei fwthyn bach clyd a'i ffordd o fyw unigryw.

Treleddyd Fawr is a national treasure, kept in its original form by Glyn Griffiths, who has called it home since the 1930s.

"I often get people up from London asking if they can buy this place as a holiday home," he says, "and some have been back three or four times to try and convince me ... each time offering more money, but I tell them where to go. This is my home, and I wouldn't sell it for a million pounds!"

Wales is all the richer for his insistence on hanging onto this untouched cottage and the way of life that it represents.

UCHOD / ABOVE

Mynwent i gathod yn yr ardd gefn.

Markers for the graves of cats in the rear garden.

DDE / RIGHT

Ffynnon hynafol sy'n dal i weithio – sydd o bosib yn hŷn na'r bwthyn a adeiladwyd yn y ddeunawfed ganrif.

An ancient well, still working, may predate the building of the cottage in the eighteenth century.

Ffenestr fach yn y drws ffrynt yn taflu golau i'r coridor tywyll.

A small window in the front door allows light into the dark corridor behind.

Troedrhiwfallen, Cribyn

Greg Stevenson

Roedd cymaint o dai to gwellt yng Ngorllewin Cymru ar un adeg, fel bod ymwelwyr ddiwedd y bedwaredd ganrif ar bymtheg yn heidio yno i weld y bythynnod bach del hyn ac i brynu cardiau post o'r simneai gwellt rhyfedd a thynnu lluniau o'r trigolion yn eu gwisgoedd traddodiadol. Un o'r llefydd hyn oedd pentref Cribyn ger Llanbedr Pont Steffan, gyda gwellt gwenith yn coroni bob yn ail adeilad yno tan mor ddiweddar â'r 1920au.

West Wales was once full of thatched cottages, so much so that the tourism industry in the late nineteenth century thrived on visitors coming to see the quaint old cottages and to buy postcards of their peculiar thatched chimneys, and to take pictures of residents who would pose in front of their homes wearing local costumes. Villages like Cribyn near Lampeter were no different, and as late as the 1920s every other building still retained its hat of local wheatstraw.

UCHOD / ABOVE

Bwthyn anghymesur, nodweddiadol, gyda pharlwr bychan ar y dde a chegin fawr ar y chwith. Trwy'r drws agored, gallwch weld y cyntedd croes sy'n mynd yn syth drwy'r adeilad.

The cottage is typically asymmetrical, with a small parlour to the right and a larger 'cegin fawr' to the left. The open door here shows that the cross passage goes straight through the building.

UCHOD / ABOVE

Greg Stevenson, a adferodd y bwthyn.

Greg Stevenson, who restored the cottage.

Heddiw, Troedrhiwfallen yw unig fwthyn to gwellt y pentref; yn wir, mae ymhlith yr hanner dwsin o dai o'u bath sydd ar ôl yn y sir heddiw. Mae fel petai'r mathau mwyaf cyffredin o adeiladau wedi troi'n bethau hynod brin, heb i neb sylwi.

Adeiladwyd Troedrhiwfallen, fel y rhan fwyaf o'r tai yma, ddiwedd y ddeunawfed ganrif, ond erbyn y 1950au roedd yn wag â gorchudd o dun dros y to hanesyddol. Ac felly y bu am hanner can mlynedd, yn dadfeilio'n raddol, tra bod un cais cynllunio ar ôl y llall i'w ddymchwel yn cael ei wrthod gan y cyngor lleol.

Cafodd ochr isa'r to gwellt ei blastro i atal malurion rhag disgyn ar y gwely pedwar postyn. Crëwyd y gwely gan grefftwr lleol gan ddefnyddio cefn hen 'sgiw' (setl) oedd yn pydru yng ngardd bwthyn cyfagos. Mae'r coffr (tua 1800) yn nodweddiadol o gelfi Bannau Brycheiniog.

The underthatch was plastered over the four-poster bed to protect it from falling debris. The bed was made by a local craftsman using the back of an old 'sgiw' (settle) that was found rotting in the garden of a nearby cottage. The 'chocolate bar' coffer (c1800) is typical of the Brecon Beacons.

Cafodd y lle tân brics gyda ffwrn fara haearn ('J W Davies, Lampeter') ei osod o dan y simnai fasgedwaith tua 1910.

A brick fireplace with cast-iron bread oven ('J W Davies, Lampeter') was installed under the wickerwork chimney hood around 1910.

Today, Troedrhiwfallen is the sole surviving thatched cottage in the village; indeed it is one of only half a dozen examples that still exist in the county. It was as if while nobody was looking the most common building type had become the rarest.

Like most of its counterparts, it was built in the late eighteenth century, but by the 1950s it had fallen empty, with a tin cap over the historic roof. The cottage remained like this for half a century, gradually crumbling, as planning application after planning application for demolition was rejected by the local council.

Hen dapiau crôm uwchben y sinc Belfast newydd.

Vintage chrome 'bib' taps stand over the new Belfast sink.

Mewn gwirionedd, roedd degawdau o esgeulustod yn fendith i Droedrhiwfallen, oherwydd llwyddwyd i osgoi holl foderneiddio digydymdeimlad diwedd yr ugeinfed ganrif. Ni roddwyd cot o baent plastig modern ar y waliau gwyngalchog, ac ni chwalwyd y cynllun gwreiddiol trwy osod cegin nac ystafell ymolchi fodern. Heddiw, mae'r rhain yn yr estyniad tun newydd yng nghefn y bwthyn, tra bod y bwthyn gwreiddiol fel yr oedd, a'i du mewn yn rhywbeth na chaiff ei weld yn unman heblaw amgueddfeydd gan amlaf bellach – mwya'r piti.

Decades of neglect were in fact a blessing in disguise for Troedrhiwfallen, which escaped the intrusive modernisations of the late twentieth century. The limewashed walls were never covered over with modern plastic-based paints, and no bathroom or modern kitchen was ever carved into the original floorplan. Today, a new tin extension to the rear is home to these modern conveniences, and the original home remains untouched with the kind of interior that (sadly) is usually only seen now in museums.

DDE / RIGHT

Llofft llawr isaf oedd unwaith yn barlwr. Mae rhywfaint o'r paent gwreiddiol, sydd ag ôl traul, (fel o amgylch y lle tân) wedi cael ei gadw. Cadair onnen o Geredigion sydd yma.

The former parlour is now used as a ground-floor bedroom. Original distressed painted surfaces (such as on the fire surround) have been left untouched. The ash chair is a Cardiganshire example.

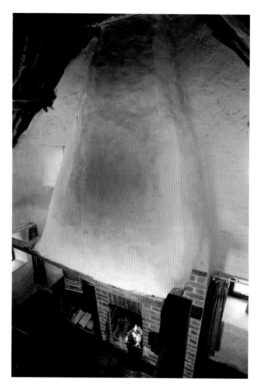

CHWITH / LEFT

Mae'r 'simne lwfr' yn nodweddiadol iawn o Orllewin Cymru, ond yn hynod brin heddiw.

The 'simne lwfr' (wickerwork hood) is typical of West Wales, but a rare survivor today.

DDE / RIGHT

Mae drysau'r bwthyn yn boenus o isel, ac ychydig o ymwelwyr sy'n llwyddo i fynd adref heb daro eu pennau. Yn ôl pob son, mae ysbryd yn y drws hwn: nid yw'n aros ar gau drwy'r nos, er gwaethaf gosod clicied newydd arno dro ar ôl tro. Roedd y perchnogion blaenorol wedi hoelio'r drws ar gau a'i orchuddio â phapur wal.

The doors are painfully low in the cottage, and few visitors leave without banging their head. This door is said to be haunted: it refuses to remain closed overnight despite having had the latch replaced many times. Previous occupants had nailed it closed and papered it over.

Ychwanegwyd ffenestr newydd at y llawr cyntaf, fel dihangfa dân o'r llofft yn y groglofft. Ni fyddai golau nac awyr iach yma'n wreiddiol.

A new window has been added to the first storey, acting as an emergency fire escape from the 'croglofft' bedroom. Originally, there would have been no light or ventilation on this level.

Hen lif pwll yn rhydu'n araf wrth bentwr o goed tân. Mae Greg Stevenson yn dal i losgi coed o'r ardd, dair blynedd ar ôl ei chlirio.

An old pit saw rusts away in front of the log pile. After three years, Greg Stevenson is still burning the timber that was produced when the garden was cleared.

Richard Williams sy'n teyrnasu yn Nhŵr Bryncir.

Ffug-dŵr gothig a adeiladwyd ym 1821 yw Tŵr Bryncir. Mae'n Adeilad Rhestredig Gradd II*, gan adlewyrchu ei bwysigrwydd ymhlith y 15% o adeiladau hanesyddol pwysicaf gwledydd Prydain.

Richard Williams is king of the castle at Tŵr Bryncir.

Tŵr Bryncir is a romantic folly built in the gothick style in 1821. It is Grade II* Listed for its architectural significance, reflecting its importance in the top 15% of all British historic buildings.

Tŵr Bryncir, Cwm Pennant

Richard Williams

Pan fo rhywun yn ennill gwobr neu deitl arbennig heddiw, yna pryd o fwyd a siampên amdani i ddathlu. Dyna a wnaeth Joseph Huddart hefyd ar ôl cael ei urddo'n farchog ar achlysur coroni Brenin Siôr IV ym 1821 – ond fe aeth gam ymhellach trwy godi tŵr gothig trawiadol yng Nghwm Pennant. Pe na bai'r tŵr yn enghraifft wych o bensaernïaeth neo-ganloesol, fe fyddem ni'n lladd arno am ddangos ei hun.

Roedd y ffug-dŵr chwe-llawr hwn yn dyst i gyfoeth (a balchder) ei adeiladwr am ganrif a mwy, ond roedd ei ysblander Sioraidd wedi pylu erbyn i Richard Williams etifeddu'r lle.

Today when people win an award or a title they might organise a party, go out for a fine meal, or crack open a bottle of champagne. Back in 1821 Joseph Huddart did all those things to celebrate being knighted at the coronation of George IV, but he also went a step further by erecting an impressive gothick tower in Cwm Pennant. If the building wasn't such a finely crafted piece of neo-medieval architecture we could berate him for showing off.

The six-storey folly stood testament to the wealth (and vanity) of its builder for a century or more, but by the time it was inherited by Richard Williams it was far from being a model of Georgian splendour.

UCHOD / ABOVE

Mae'r drysau derw mawr yn ychwanegu at naws ganoloesol y tŵr.

The massive oak doors add to the medieval feel of the tower.

Golygfeydd godidog o Gwm Pennant wedi'u fframio'n berffaith gan y ffenestri cain.

The elegant windows perfectly frame the picturesque views of Cwm Pennant.

Manylyn o golfach peg a chylch a wnaethpwyd gan of lleol.

Detail of a traditional peg and hoop hinge made by a local blacksmith.

"Doedd dim to yno o gwbl," meddai. "Roeddech chi'n gallu sefyll ar y llawr isaf a gweld yr awyr uwchben."

Oherwydd uchder a chynllun anarferol yr adeilad, roedd y gwaith adfer yn ddrud a llafurus. "Mae'n rhaid i chi ddewis eich dodrefn yn ofalus iawn mewn adeilad â grisiau mor gul â hwn," meddai Richard, sydd bellach wedi adfer pob un o'r chwe llawr.

"Dwi'n teimlo fel brenin Eryri yma," meddai. "Mae'n lle delfrydol i fyw bywyd tylwyth teg."

"The roof had gone completely," he recalls. "You could stand inside on the ground floor and see straight up to the sky."

The unusual height and design of the building meant that the renovation was a long and expensive process. "You have to choose your furniture very carefully when you own a building with stairs as narrow as this," says Richard, who has restored the original form of just one room to each of the six storeys.

"You feel like the king of Snowdonia up here," he says. "It is the perfect place for living out fairy tales."

Lolfa gyfforddus â'i golygfeydd gwych ym mhen ucha'r tŵr.

The room at the top of the tower is a comfortable lounge with breathtaking views.

Mae'r grisiau cerrig serth yn ymdroelli y tu mewn i wal y tŵr. Mae dringo i'r lolfa ac yn ôl ddwywaith dair y dydd yn ffordd dda o gadw'n iach.

The steep stone stairs snake around the inside wall of the tower. A couple of trips a day from the top-floor lounge down to the ground-floor kitchen keep you fit.

Tŷ Capel, Gwenfô / Wenvoe

John a/and Lisa Karamouzis

Mae naws theatrig i addasiad John a Lisa Karamouzis o hen gapel yng Ngwenfô, ac wrth gamu dros y rhiniog, fe welwch chi fod y cwpl wedi cael hwyl yn addurno'r adeilad. Ar ôl byw yn y tŷ capel am ddeng mlynedd, daeth cyfle iddynt brynu'r capel gwag drws nesaf maes.

"I ddechrau, roedden ni'n siomedig bod y nodweddion gwreiddiol i gyd wedi mynd – roedd y paneli mahogani, y seddi pren a'r plastr addurnedig wedi'u hen werthu," meddai Lisa, sy'n berchen ar ei busnes ffasiwn ei hun.

There is a touch of the theatre about John and Lisa Karamouzis's chapel conversion in Wenvoe, and you can sense the fun that they have had in restyling the building as soon as you walk in the front door. Having lived for ten years in the chapel house next door, the couple eventually got the opportunity to buy the empty chapel adjoining.

"We were initially disappointed that all the original features had been removed – the mahogany panelling, the pew seating, and the ornate plasterwork had long since been sold off," recalls Lisa, who runs her own fashion business.

GYFERBYN / OPPOSITE

Prin yw'r tai sydd â mynwent yn yr ardd gefn, ond dyna a gewch chi wrth addasu hen gapel.

Not many homes have a graveyard in the garden, but it comes with the territory in this chapel conversion.

ISOD / BELOW

Bocs cadw-mi-gei direidus 'cronfa botocs' ger fersiwn o'r Last Supper *gan Michelangelo.*

A cheeky 'botox fund' moneybox stands next to a version of Michelangelo's Last Supper.

191

Lle i westeion a gwely soffa lledr yn y lolfa mezzanine.

The mezzanine lounge has a guest area and a leather sofa bed.

Felly, roedd ganddynt rwydd hynt i ailgyflwyno nodweddion pensaernïol a hynny lle roedden nhw am eu gosod. Ychwanegwyd 'balconi' â balwstrau â phatrwm Groegaidd, ond yn null *trompe l'oeil* gan yr arlunydd lleol, Jim O'Reilly. Gosodwyd lloriau newydd yn is na'r rhai gwreiddiol, cafodd ffenestri eu symud a gosodwyd rhai newydd, a rhoddwyd lle tân â cholofnau Corinthiaidd yn yr ystafell fyw ar y llawr isaf.

"Ro'n i am ail-greu'r hen naws drefedigaethol o'm teithiau fel plentyn i'r India, lle'r oedd yr ystafelloedd fel pe baent bob amser yn olau a heulog ac yn llawn dodrefn a deunyddiau swmpus a chyfforddus," meddai.

Mae drychau, defnyddiau lledr a waliau *trompe l'oeil* i'w gweld ym mhob man yn Tŷ Capel. Mae'r adeilad yn dal i adlewyrchu ei orffennol fel capel, ond â stamp arbennig 'café crème' Lisa.

This gave them a free rein to reintroduce architectural features, but where they wanted them. A 'balcony' with Greek-pattern balusters was reintroduced, but in the form of *trompe l'oeil* by local artist Jim O'Reilly. Floor heights were dropped, windows were moved and new ones introduced, and a massive Corinthian-columned fireplace was installed in the ground-floor sitting room.

"I wanted to recreate the old colonial style that I remember from childhood trips to India, where the rooms always seemed light and sun-drenched, with large-scale comfortable furnishings," she says.

Mirrors, leather, and *trompe l'oeil* painted walls have been introduced throughout the property. The result is a building that still has a sense of being a chapel, but which is dominated by Lisa's signature 'café crème' style.

Bar a theledu sgrin blasma sy'n y cypyrddau o boptu'r lle tân newydd enfawr. Mae'r llun pen Medusa a baentiwyd ar y pentan yn dwyn i gof Giovanni Versace.

The cupboards either side of the massive new fireplace hold a huge plasma screen television and a bar. The Medusa head painted on the firehood is a reminder of Giovanni Versace.

DDE / RIGHT

Mae'r paentwaith trompe l'oeil ar y balconi newydd yn creu naws Roegaidd, a'r ffretwaith yn ein hatgoffa o batrymau ar sebonfaen o India.

The trompe l'oeil paintwork on the new balcony recreates a Greek-style balustrade and the fretwork is reminiscent of Indian soapstone carving.

ISOD / BELOW

Efydd a du ydy'r dewis o liwiau yn y brif ystafell wely.

Bronze and black are the accent tones in the master bedroom.

Tŷ Mawr, Dyffryn Nantlle

Iorwen James a/and Jack Crabtree

Carped o Moroco ar hen lawr ag ôl traul arno.

A Moroccan rug sits on a well-worn floor.

Tŷ Mawr

Arfer go gyffredin yn yr ail ganrif ar bymtheg oedd rhannu hen neuadd-dai mawr yn sawl llawr gwahanol, ond colli eu hen fawredd agored oedd canlyniad hyn yn aml.

Nid felly Tŷ Mawr, Dyffryn Nantlle, lle mae'r llawr uchaf wedi'i gadw fel stiwdio arlunio agored. Mae hyn yn golygu y gallwch weld fframwaith yr hen do derw mawreddog o'r unfed ganrif ar bymtheg yn glir – dipyn yn agosach na'r bwriad gwreiddiol.

When ancient hall-houses were carved up into separate floors, a practice that commonly took place in the seventeenth century, they often lost a sense of their open grandeur.

Not so at Tŷ Mawr, Dyffryn Nantlle, where the top floor has been kept as an open working artist's studio. This means that the beautiful sixteenth-century oak roof structure can be seen up close – much closer in fact than was originally intended.

Edrych tua'r ystafell fwyta, o'r fynedfa.

Looking through from the entrance to the dining room.

Cynnyrch y fro yw'r silff ben tân lechfaen yn y stydi fechan.

The slate mantelpiece in the small study would have been made in the same valley as that in which the house stands.

Islaw'r stiwdio, mae casgliad o ystafelloedd llai sy'n rhannu'r un awyrgylch tawel, canoloesol bron. Mae'r perchnogion, Iorwen James a Jack Crabtree, yn ymgorffori'r llonyddwch hwn ac maent yn byw bywyd tawel yn paentio ym mhen ucha'r tŷ. Does dim byd rhodresgar am y tŷ ac mae hyd yn oed lliw du dewr yr ystafell fwyta'n ychwanegu at lonyddwch y cyfan.

"Dwi'n hoffi'r teimlad bod cymaint o bobl wedi byw yn Tŷ Mawr o'n blaenau ni," meddai Iorwen. "Dyma'r tŷ hynaf yn y Dyffryn, ac mae hanes hir a chyfoethog yn perthyn i'r lle."

Downstairs from this studio are a smaller collection of rooms that retain the same tranquil, almost medieval, atmosphere that is found in the studio. This peacefulness is embodied by owners Iorwen James and Jack Crabtree, who live a quiet life painting on the top floor. Nothing is loud at Tŷ Mawr, and even the dining room, which has been painted a brave black colour, only adds to the feeling of calm that is found here.

"I enjoy the feeling that so many people have lived at Tŷ Mawr before us," says Iorwen. "This is the earliest house in the valley and there is a rich and deep sense of history here."

UCHOD / ABOVE

Casgliad o fygydau a wynebau doliau yn y stiwdio
a brynwyd mewn brocante yn Ffrainc, ac sy'n
ysbrydoliaeth i baentiadau Iorwen James.

Bought in a brocante in France, a collection of
masks and doll's heads in the studio are inspiration
for Iorwen James's paintings.

DDE / RIGHT

Cadair freichiau 'wheel-back' o'r bedwaredd ganrif
ar bymtheg o flaen dresel a ffeiriwyd am hen wely
pres. Cafodd Iorwen James yr elyrch tseini o ddresel
ei mam.

A nineteenth century 'wheel-back' armchair sits in
front of a dresser swapped for an old brass bed. The
china swans are from Iorwen James's mother's
dresser.

Ond nid yw'r bensaernïaeth hanesyddol wedi rhwystro'r cwpl rhag rhoi eu stamp bersonol nhw ar y lle wrth ei adnewyddu chwaith; eu cartref *nhw* ydyw heb os, ac mae'n rhoi llwyfan i'w casgliadau di-ri gyda holl naws paentiad bywyd llonydd.

The historic architecture hasn't kept the couple back in their refurbishment of this early home; it feels very much to be *their* house, and the result is a home that showcases their many collections with all the composure of a still-life painting.

CHWITH / LEFT

Ysblander y to derw yn y stiwdio arlunio, gyda'i addurn pedairdeilen sy'n dyddio'n ôl i 1547.

The artists' studio enjoys the impressive oak roof structure with its quatrefoil decoration dating back to 1547.

Iorwen James gyda gwaith serameg ei merch Sara Irvine.

Iorwen James with ceramics by her daughter Sara Irvine.

CHWITH / LEFT

Peiriannau hapchwarae o'r 1950au yn yr ystafell fyw.

A collection of 1950s 'one-arm bandits' is on display in the sitting room.

Tŷ'n Bedw, Goginan ger/near Aberystwyth

Alun Griffiths

Alun Griffiths

Mae holl ramant 'tŷ pen coeden' yn perthyn i Dŷ'n Bedw, sy'n nythu yng nghanol y coed uwchben afon Melindwr. Ar ôl croesi pont bren, fe welwch chi gartref sy'n gweddu'n berffaith i'w gynefin naturiol.

Coed cedrwydd coch sy'n llenwi bob cwr o'r tŷ yn lle'r brics a'r mortar arferol. Mae hyn yn golygu bod awyrgylch naturiol braf yn Nhŷ'n Bedw. Daw'r tanwydd i wresogi'r aelwyd o'r coetir cyfagos, sy'n cael ei reoli'n gynaliadwy.

Tŷ'n Bedw has all the romance of a treehouse nestled in its peaceful woodland setting above the Melindwr river. Cross the rustic timber bridge and you enter a home that feels completely comfortable with its natural surroundings.

Instead of modern plastered walls and concrete floors, Western Red Cedar has been used on almost every surface. The wealth of timber gives Tŷ'n Bedw a natural warmth and homeliness, and all the fuel for heating comes from the sustainably managed woodland that surrounds the house.

Mae'r gwaith pren gwladaidd yn atgoffa rhywun o'r tŷ y daeth Hansel a Gretel ar ei draws yn y goedwig.

Rustic timbers remind the visitor of the house that Hansel and Gretel found in the woods.

Gwinwydden yng ngoleuni llachar y stafell haul.

A vine enjoys the bright light in the sun room.

Mae fframwaith y tŷ pren i'w weld yn glir i'r chwith o'r baddon.

The log cabin structure can be seen clearly to the left of the bath.

Mae cochni'r deunyddiau naturiol yn dod â chynhesrwydd i'r tŷ.

The house glows with the warmth of the natural material used in its construction.

Ar ôl cael ei ysbrydoli gan dai pren Canada, aeth y saer dodrefn Alun Griffiths ati i gynllunio ac adeiladu Tŷ'n Bedw ei hun gan ddefnyddio cynnyrch lleol coedwig Dyfi. Mae'n dŷ clyd yn y gaeaf ac eto'n teimlo'n agored i fyd natur ym misoedd yr haf. Wedi'i gynllunio'n gymesurol, mae Tŷ'n Bedw'n dal haul y bore ar y balconi dwyreiniol, a'r machlud yn y gorllewin, sy'n golygu bod golygfa braf o fyd natur gydol y dydd. Yr amgylchedd naturiol fu'n ysbrydoliaeth ar gyfer y cartref unigryw hwn.

Inspired by Canadian log houses, Tŷ'n Bedw was self-designed and self-built by cabinet-maker Alun Griffiths, using timber from the local Dyfi forest. The house is snug in winter, and yet feels open to nature in the summer months. Symmetrically designed, Tŷ'n Bedw captures the morning sun on its eastern balcony, and the sunset on the west, which means that at any time of the day there is always a pleasant view out into the natural environment that inspired this unique home.

UCHOD / ABOVE

Ci potsiwr, Nel, wrth ei bodd yn awyrgylch hamddenol Tŷ'n Bedw.

Alun Griffiths's lurcher, Nel, enjoys the leisurely atmosphere of Tŷ'n Bedw.

CHWITH / LEFT

Mae'r gegin syml yn adleisio cabanau pren Gogledd America a ysbrydolodd y prosiect.

The simple kitchen echoes the log cabins of North America that inspired the project.

UCHOD / ABOVE

Pren a ddefnyddiwyd i adeiladu'r tŷ i gyd, hyd yn oed y to teils cedrwydden a ddylai bara cyn hired ag unrhyw ddeunydd diwydiannol cyfatebol.

The house is entirely built from wood, even down to the cedar shingle roof that should last as long as any industrially-produced alternative.

UCHOD / ABOVE

Cerflunydd yw Alun Griffiths, ac mae enghreifftiau o'i waith ar hyd a lled y tŷ.

Alun Griffiths works as a sculptor, and examples of his craft are seen around the house.

Myfanwy Alexander a'i merched Amelia, Henrietta a Gwenllian.

Myfanwy Alexander and her daughters Amelia, Henrietta, and Gwenllian.

Fel yr awgryma'r enw, saif Tŷ'n y Gerddi mewn gerddi bendigedig. Mae'r ffrâm dderw dynn yn dangos cyfoeth y perchennog gwreiddiol. Mae'r ffrâm yn hyblyg, felly mae'r tŷ wedi gallu symud wrth i'r adeilad setlo dros y canrifoedd.

Appropriately, Tŷ'n y Gerddi sits in lovely gardens. The close-studding of the oak frame reveals the wealth of the original owner. The flexibility of the frame has meant that the house has been able to move as the building settled over the centuries.

Tŷ'n y Gerddi, Llanfair Caereinion

Myfanwy Alexander

Mae Tŷ'n y Gerddi yn cynrychioli trobwynt yn hanes adeiladau Prydain – dyma'r tro cyntaf i bobl gyffredin ddechrau byw mewn cartrefi â mwy nag un llawr.

Cyn i'r tŷ ffrâm dderw hwn gael ei adeiladu ar ddiwedd yr unfed ganrif ar bymtheg, roedd y rhan fwyaf o dai o'r maint yma yn neuadd-dai agored. Roeddynt yn drawiadol a dramatig … ond yn oer. Mae Tŷ'n y Gerddi, ar y llaw arall, yn gynnes ac yn glyd dan ei do gwellt, gyda gwres y lle tân enfawr yn cynhesu'r ystafell fyw sydd wedi'i phaentio'n goch tywyll cynnes gan Myfanwy Alexander.

Tŷ'n y Gerddi represents a critical moment in the history of British buildings, when ordinary people first started to live in storeyed dwellings.

Before this oak-framed home was erected at the end of the sixteenth century most houses of this scale were open halls. They were dramatic and impressive … but cold. Tŷ'n y Gerddi, on the other hand, is snug and cosy under its thatched roof, and the heat from the huge inglenook fire is retained in the sitting room that writer Myfanwy Alexander has painted a deep warm red.

DDE / RIGHT

Patrwm o sêr gyda chroes yn y canol sy'n brin, ac yn unigryw i'r rhanbarth, yn harddu'r pentan. Dengys y lluniau gan y plant nad oes unrhyw rodres yn perthyn i'r cartref hanesyddol hwn.

The inglenook carries a rare and regionally distinctive pattern of stars with a central cross. Paintings by the children confirm that there is nothing stuffy about this historic home.

ISOD / BELOW

Y sêr sydd wedi'u naddu ar y trawst uwchben y lle tân.

Detail of the stars carved into the bressumer beam above the fireplace.

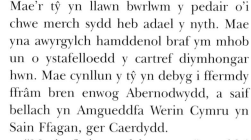

Mae'r tŷ yn llawn bwrlwm y pedair o'i chwe merch sydd heb adael y nyth. Mae yna awyrgylch hamddenol braf ym mhob un o ystafelloedd y cartref diymhongar hwn. Mae cynllun y tŷ yn debyg i ffermdy ffrâm bren enwog Abernodwydd, a saif bellach yn Amgueddfa Werin Cymru yn Sain Ffagan, ger Caerdydd.

"Mae'n fraint cael byw yma," meddai Myfanwy. "Mewn sawl ffordd, gofalu am y tŷ rwy'n ei wneud; rwy'n teimlo mai cael ei fenthyg am oes ydw i. Mae'n lle bendigedig i ysgrifennu, ac alla i ddim meddwl am unman gwell i fagu fy nheulu."

The house is brought to life by the four of her six daughters who remain at home. A happy and relaxed atmosphere pervades every room of this unselfconscious home, which follows a ground-plan similar to that seen in the celebrated timber-framed farmhouse of Abernodwydd, relocated to the St Fagans National History Museum, near Cardiff.

"I feel privileged to live here," says Myfanwy. "In many ways, I'm just a caretaker, and it feels like the house is on loan to me for my lifetime. It is a wonderful place to write, and I couldn't think of anywhere better to raise my family."

Edrychwch yn ofalus ar y glicied drws a gallwch weld enw'r gof.

Look carefully at this door latch and you can decipher the name of the blacksmith.

Gwenllian yn ffenestr ei llofft. Adeiladwyd y rhan yma o'r tŷ'n ddiweddarach, tua 1700; cymharwch sgwariau mawr y ffrâm gyda ffrâm dynnach y tŷ gwreiddiol o'r unfed ganrif ar bymtheg.

Gwenllian peeps out from her bedroom window. This part of the house is later, built around 1700; compare the large box-frame structure with the closely studded frame of the original sixteenth-century house.

UCHOD / ABOVE

Bwriad y marc 'gwrach' anghyffredin hwn sydd wedi'i naddu uwchben y drws oedd rhwystro ysbrydion dieflig rhag dod dros y trothwy.

This unusual 'witch' mark carved into a door lintel was intended to keep evil spirits from entering the house.

DDE / RIGHT

Y simnai ffrâm bren o ben grisiau'r llawr cyntaf. Mae'r cynllun ymarferol yn cludo gwres y tân i'r llofft i fyny'r grisiau.

The timber-framed chimney breast as seen on the first-floor landing. This practical design carries the heat from the fire into the bedrooms upstairs.

Wychwood House, Langland, Bae Abertawe / Swansea Bay

Lesley Taylor

Mae Lesley Taylor yn gynllunydd cartref ac yn rhedeg busnes gwerthu ystafelloedd ymolchi moethus a theils gyda'i gŵr Kevin. Does ryfedd, felly, bod eu tŷ modernaidd uwchben Bae Abertawe yn wledd i'r llygaid.

Mae eu cartref yn hysbyseb perffaith ar gyfer eu busnes; ond mae'n fwy na dim ond arddangosfa o gelfi a gosodiadau coeth – mae Wychwood House yn dyst i ddoniau cynllunio Lesley.

Lesley Taylor is an interior designer and, with husband Kevin, runs a luxury bathroom and tile company. You'd expect them to have a well-designed home, and their modernist house overlooking Swansea Bay doesn't fail to impress.

This immaculately presented home acts as a calling card for their business interests; but more than being just a showroom of exquisite fittings, Wychwood House is a testimony to Lesley's design skills.

CHWITH / LEFT

Harddwch y pren cnau Ffrengig ar y grisiau sy'n cael eu goleuo fin nos. Teils porslen sydd ar y llawr isaf.

Detail of the beautifully crafted walnut stair treads. The ground floor is porcelain tiles, and LED lights illuminate the stairs at night.

DDE / RIGHT

Lesley Taylor, gyda mosaig o lun o gerflun gan Canova yn gefndir iddi.

Lesley Taylor. Behind her is a wall mosaic interpreted from a photograph of a sculpture by Canova.

Cegin fodern gydag unedau o'r nenfwd i'r llawr sy'n cynnwys meicrodon, popty a pheiriant coffi.

The sleek modern kitchen has floor-to-ceiling units incorporating a microwave, an oven, and a coffee machine.

Mae ffenestri crwn y to'n goleuo'r ystafell fwyta, ac mae dodrefn Philippe Starck yn parhau â'r thema gron.

Circular roof windows illuminate the dining area, and the round shapes are echoed in the dining suite by Philippe Starck.

Mae'r tŷ o'r 1970au wedi'i weddnewid yn llwyr gan y cwpl a'i brynodd oherwydd ei leoliad anhygoel a'r golygfeydd gwych o Fae Abertawe. Mae deciau pren yn amgylchynu'r llawr isaf, ac erw neu ddwy o goetir preifat yn disgyn tuag at y dŵr islaw.

Built in the 1970s, the house has been given a complete overhaul by the designer couple who purchased it because of its amazing location and panoramic views of Swansea Bay. Decking surrounds the ground floor, and a couple of acres of private woodland stretch down towards the water.

Mae'r lle tân, y teledu, a'r olygfa o'r ardd oll yn hoelio'r sylw yn y lolfa braf.

The fire, the television, and garden views vie for attention in the leisurely lounge.

UCHOD / ABOVE

Pleserau prin – yn ogystal â gwylio'r teledu yn yr ystafell ymolchi, gallwch ddewis o blith tair cawod wahanol (pŵer, monsŵn, a stêm).

Not many people enjoy a television in their bathroom, but the owners also have a choice of three showers (power, monsoon, and steam).

CHWITH / LEFT

Mae golau naturiol yn llifo drwy'r ffenestr yn y to i'r llawr isaf, diolch i'r llawr a'r canllawiau gwydr.

Glass is used for the floor and balustrade of the landing, and carries light from the roof window into the ground floor.

"Y nod oedd creu cartref cyfoes, teuluol, sy'n adlewyrchu'r cynlluniau diweddaraf ond sy'n ddigon ymarferol i deulu prysur yr un pryd," esboniodd Lesley. "Ac roedd hi hefyd yn bwysig gweithio gyda phensaernïaeth yr adeilad gwreiddiol."

Y peth cyntaf sy'n croesawu ymwelwyr y tu mewn yw'r neuadd uchder dwbl sy'n rhoi blas ar weddill y tŷ. Er bod nodweddion y saithdegau wedi diflannu'n llwyr, byddai'r cynllun modern sydd wedi'i ddisodli yn siŵr o blesio pensaer gwreiddiol y cartref maestrefol hwn.

"I wanted to create a family-friendly contemporary space that reflects current trends while being practical for a busy family," explains Lesley. "It was also important to work with the architecture of the existing building."

Inside, the visitor is greeted by a stunning double-height stairwell that sets the tone for the rest of the house. The 1970s features have all gone, but the modern design that replaces them would doubtless have pleased the original architect of this suburban house.

Sinc calchfaen ar blinth o deils mosaig gwydr-copr yn ystafell ymolchi'r gwesteion.

A limestone sink sits on a plinth tiled in copper-glass mosaic tiles in the guest en-suite bedroom.

Moethusrwydd y llofft sbâr, gyda'r pen gwely swêd a charthen ffwr ffug.

The guest bedroom is full of rich textures, with its suede headboard and fake fur throw.

Y Tŷ Crwn, Saint Hilari / St Hilary

Dafydd Wiliam

Cartref Celtaidd cyfoes yn nhawelwch gwledig Bro Morgannwg yw'r Tŷ Crwn. Er ei fod yn debyg i dai cynnar Cymru (tŷ crwn yr Oes Haearn, tebyg i'r rhai a godwyd dros 2,000 o flynyddoedd yn ôl), nid ail-gread hanesyddol mohono. Yn hytrach, mae'r Tŷ Crwn yn defnyddio deunyddiau modern, cynaliadwy, i adlewyrchu hen draddodiad.

Y Tŷ Crwn is a little piece of Celtic contemporary nestled into a peaceful rural setting in the Vale of Glamorgan. It may look like one of the earliest Welsh houses (an Iron Age roundhouse of the type built over two thousand years ago), but this is no historical reconstruction. Rather, Y Tŷ Crwn uses modern sustainable materials to reflect an ancient tradition.

CHWITH / LEFT

Madarchen wyllt yn adleisio ffurf organig y tŷ crwn yn y cefndir.

A wild mushroom in the foreground reflects the organic shape of the roundhouse behind.

UCHOD / ABOVE

Dafydd Wiliam

UCHOD / ABOVE

Coed llarwydd lleol a chyrs yw fframwaith y to.

The internal roof structure uses local larch and water-reed.

UCHOD / ABOVE

Mae'r waliau gwellt wedi'u plastro â chymysgedd o galch a chlai, a ffenestri modern wedi'u hychwanegu.

Strawbale walls have been plastered in a lime and clay mix, and modern windows have been added.

Soffas Draylon o'r 1960au yn cysgodi o dan fframwaith enfawr y to.

1960s Draylon sofas are dwarfed by the massive roof structure inside.

Fe gymerodd bedair blynedd i Dafydd Wiliam a'i ffrindiau, Owain Davies a Iolo Whelan, gael caniatâd cynllunio a chwblhau'r gwaith unigryw hwn. Yn wahanol i'w ragflaenwyr o'r Oes Haearn, adeiladwyd y tŷ hwn ar sylfeini a'i godi ar 'olwyn' fawr sy'n sefyll ar foth ganolog o garreg leol a chalch. Mae'r waliau gwellt wedi'u plastro â chlai a chalch, a'r to wedi'i orchuddio â chyrs, sy'n ddeunydd mwy gwydn na gwenith lleol.

"Mae yna lonyddwch yma," meddai Dafydd. "Mae'n eich cludo'n ôl mewn amser, ac mae rhywbeth mor fenywaidd ynglŷn â tŷ crwn; mae tai sgwâr yn wrywaidd eu natur. Mae'n hyfryd treulio amser mewn adeilad sydd yn wahanol i'r arfer."

Yn anffodus, does ganddo mo'r hawl i fyw yma'n barhaol gan nad oes statws cartref preswyl i'r Tŷ Crwn. Nid bod hynny'n poeni Dafydd chwaith. Diben addysgol yw ei brif nod: cyflwyno gwers ar ddulliau adeiladu cynaliadwy. Ond mae hefyd yn addurn anhygoel ar y dirwedd – yn gyfraniad gwych at bensaernïaeth werin fodern.

It took four years for Dafydd Wiliam and two friends, Owain Davies and Iolo Whelan, to get permission and complete this remarkable structure. What makes this roundhouse so different to its Iron Age predecessors is that it is built on foundations, lifted up on a giant 'wheel' that sits on a central hub built using local stone and lime. The walls are strawbale, plastered with lime and clay, and the roof is water-reed, a more durable alternative to local wheat.

"It is such a tranquil space," says Dafydd. "It makes you step back from time, and there is also something feminine about a roundhouse; square houses are very masculine. It is wonderful to just spend time in a building that is so different from what we are used to."

Unfortunately, spending time in the building is all that he is allowed to do, as the building doesn't have residential planning status. He says that the main purpose is educational: to provide a lesson in sustainability. But it is also a most marvellous ornament on the landscape – a contribution to the modern vernacular.

Chwith / Left

Mae'r gwydr yn y ffenestr yn dod â lliw i'r tu mewn.

A modern stained glass window brings colour into the interior.

Uchod / Above

Mae'r waliau mewnol yn gyfuniad o hen draddodiadau a deunyddiau cynaliadwy modern.

The internal wall structure blends ancient traditions with modern sustainable materials.

Diolchiadau / Acknowledgments

Dymuna'r awduron a'r cyhoeddwr ddiolch i berchnogion y tai sydd yn y llyfr hwn am ganiatâd i ddangos eu heiddo; oni bai am y bobl hael hyn ni fyddai modd cyhoeddi'r llyfr.

Rydym yn ddiolchgar hefyd i Nici Beech a Huw Chiswell, golygyddion comisiynu yn S4C, ac i Luned Whelan, rheolwraig cyhoeddiadau yn S4C, am eu cefnogaeth a'u ffydd yn *04 Wal* a *Y Tŷ Cymreig*.

Dymunwn ddiolch yn arbennig i S4C am ganiatáu i ni atgynhyrchu eu lluniau, ac i'r ffotograffwyr unigol am gael defnyddio'u gwaith. Rydym yn ddyledus i Warren Orchard a Gwenan Murphy a fu'n ein helpu i gael hyd i rai ffotograffau coll.

Rydym yn ddiolchgar am gymorth Catrin Williams a Ffion Jones yn Fflic, a Gareth Wood a Dylan Wyn Williams yn Testun.

Ein diolch hefyd i Marred Glynn Jones am adael i ni ddefnyddio deunydd ymchwil.

The authors and the publisher wish to thank the owners of the homes featured in this book for allowing us to showcase their properties; without these generous people there wouldn't be a book to publish.

We are grateful also to Nici Beech and Huw Chiswell, commissioning editors at S4C, and to Luned Whelan, publications manager at S4C, who have believed in and supported *04 Wal* and *Y Tŷ Cymreig*.

Our special thanks go to S4C for allowing us to reproduce their images, and to all the individual photographers whose work we have used. We are indebted to Warren Orchard and Gwenan Murphy who helped us to track down some lost photographs.

We are grateful for the assistance of Catrin Williams and Ffion Jones at Fflic, and for that of Gareth Wood and Dylan Wyn Williams at Testun.

Our thanks go also to Marred Glynn Jones who has allowed us to use some research material.

Ffotograffiaeth / Photography

Yn ogystal â'r nifer sylweddol o ffotograffau a ddarparwyd gan S4C, dymuna'r awduron a'r cyhoeddwr gydnabod cyfraniad y ffotograffwyr unigol, yr asiantaethau a'r sefydliadau a ganlyn a roddodd ganiatâd i atgynhyrchu ffotograffau hawlfraint: Cadw; Craig Howard / Twocoolphoto; Gwenan Murphy; Jean Napier; Warren Orchard; John Perry; Taylor's Etc; Simon Upton / Loupe Images / Ryland Peters & Small; Mel Yates / Media 10 Syndication.

Mae'r cyhoeddwr yn cydnabod cyfraniad arbennig Gwenda Griffith yn cael hyd i luniau a'u darparu i ddarlunio nifer o'r ysgrifau.

Er bod y cyhoeddwr wedi gwneud pob ymdrech i gael hyd i berchnogion hawlfraint, bydd yn fodlon cywiro unrhyw wallau ffeithiol neu anweithiau anfwriadol mewn argraffiadau dilynol.

In addition to the substantial number of photographs provided by S4C, the authors and the publisher acknowledge the contribution of the following individual photographers, agencies, and organisations that have given permission for the reproduction of copyright photographs: Cadw; Craig Howard / Twocoolphoto; Gwenan Murphy; Jean Napier; Warren Orchard; John Perry; Taylor's Etc; Simon Upton / Loupe Images / Ryland Peters & Small; Mel Yates / Media 10 Syndication.

The publisher acknowledges the special contribution of Gwenda Griffith in sourcing and providing images to illustrate a number of entries.

While the publisher has made every effort to trace the owners of copyright, it will be happy to rectify any factual errors or inadvertent omissions in subsequent editions.

DDE / RIGHT

Glan Elwy, Dyffryn Clwyd – pentan gwreiddiol wedi'i lenwi â moch coed yn ystod yr haf.

Glan Elwy, Dyffryn Clwyd – an original hob grate filled with pinecones for the summer months.